知念実希人

# 羅針盤の殺意
# 天久鷹央の推理カルテ

実業之日本社



実業之日本社文庫

# 目次

## 御子神記念病院　B1階　見取り図

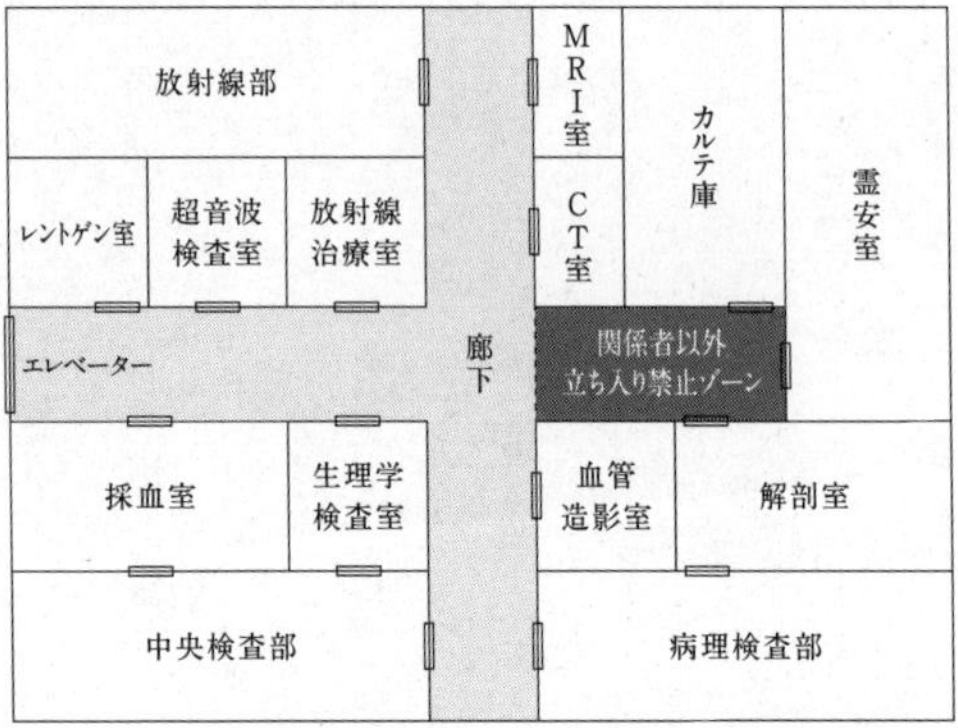


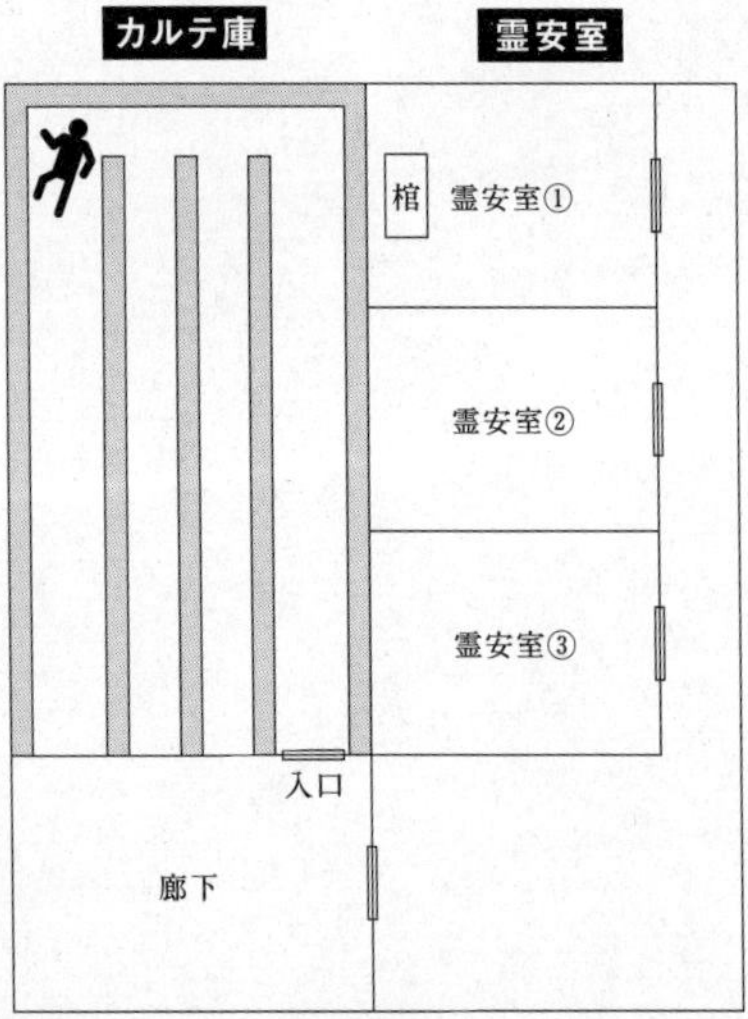

# 羅針盤の殺意

Fatal Force of the Master Compass

天久鷹央の推理カルテ

# プロローグ

鷹央《たかお》は振り返ると、さっきまで自分が立っていた場所を見る。その視線は、床に落ちている大量の診療記録に注がれていた。

「あ、ああ、ああああぁぁ……」

半開きの鷹央の口から、獣じみた声が漏れだす。

「ど、どうしました？　大丈夫ですか？」

驚いた僕が声をかけると、鷹央は両手で頭を抱える。

「違う……。犯人に当てはまる人物がもう一人だけいた。ああ、私の目は節穴だ……。私はなんて馬鹿なんだ。こんな簡単なことに気づかないなんて……」

ウェーブのかかった柔らかそうな髪を乱暴に掻《か》き乱す鷹央に、僕は「落ち着いてください」と声をかけると、その華奢《きゃしゃ》な背中に手を添えた。

鷹央は体を震わせると、手をだらりと下げて僕を見上げる。

「小鳥《ことり》、私は探偵失格、いや医師失格だ……。先入観に目が曇り、目の前にある真実に気づかなかった」

そこで言葉を切った鷹央は、力なく首を横に振る。

「いや、私は気づいていたのかもしれない。この脳に搭載された知能は、この謎の裏に隠れた残酷な青写真を浮かび上がらせていたのに、私の心がそれに気付かないふりを決め込んでいたのかもしれない」

自らを責め続ける鷹央は弱々しく、その短身瘦軀《そうく》がさらに小さくなったかのように僕の目には映った。

「私は一般の者たちが持つ様々な能力と引き換えに、超人的な知性を持って生まれてきた。私にとってそれは運命、もしくは『神』と呼称される存在からの『ギフト』であるはずだった。しかし、私はその『ギフト』から目を背けてしまった。自分自身を否定してしまった……」

鷹央はゆっくりと通路を出入り口に向かって進みはじめる。その足取りは、枷《かせ》をつけられているかのように重かった。

「鷹央先生、どこに行くんですか?」

僕が慌てて声をかけると、鷹央は振り返る。その顔には、どこまでも哀《かな》しげで、それでいて自虐的な笑みが浮かんでいた。

思わず目を逸《そ》らしそうになる僕に向かって、鷹央は静かに告げた。

「この密室殺人事件の真相をあばきに行くんだ」

# 禁断の果実

Karte. 01

体が重い……。宮本翔馬《みやもとしょうま》は緩慢な動きでベッドから這《は》い出した。

立ち上がって着替えようとするが、あまりの倦怠感《けんたいかん》にベッドに腰掛けてしまう。

この一週間ぐらい、体調がすぐれない。所属しているサッカー部の練習でも、途中でばててしまい、二年生の先輩から怒鳴られることが多くなっている。

コーチに連絡して、今日の練習は休ませてもらおうか。そんな考えがかすめた頭を、翔馬は勢いよく振った。

だめだ。休んだら、せっかく選ばれた春の大会のレギュラーを外されてしまう。

高校に入学してから一年間、ひたすら部活に明け暮れた。一日中グラウンドで走り回って疲労困憊《こんぱい》になっても、しっかり食事をとってよく寝れば、次の日には完全に回復していた。

けれど、さすがに無理をしすぎたのかもしれない。先週からずっと、体の奥にヘドロのように疲労が蓄積しているのを感じる。

来週からの春の大会に向けて、厳しい練習は今日で終わりだ。コンディションを整えるため、明日から三日間は部活が休みになっている。

なんとか今日まで頑張ろう。……せっかく、あいつと一緒にレギュラーの座を掴《つか》み取ったのだから。

そう心に決めて立ち上がった瞬間、重力が消えた気がした。視界の上方から、白いカーテンが降りてくる。

貧血だ。そう気づいたときには、足の感覚がなくなっていた。翔馬は糸が切れた操り人形のように、その場に崩れ落ちる。

こんなひどい立ち眩《くら》みを起こしたのは何年ぶりだ？　たしか、四年ぶり……。

まさか、またぶり返したのか？　四年間も起こらなかったのに、なんで……。

翔馬は両手を床について上体を起こすと、部屋の隅に置いてある姿見に視線を向ける。鏡の中で、端整な顔をして床に這いつくばった少年がこちらを見ていた。

「ああ……」

口から絶望のうめき声が漏れる。

自分を見つめる少年の瞳、その白目の部分がオレンジ色に染め上げられていた。

## 1

「春先に起きる肝炎ねえ……」

僕、小鳥遊優《たかなしゆう》は廊下を進みながら、プリントアウトした診察依頼書に視線を落とす。

**お世話になっております。三月二日、強い倦怠感と眼球結膜黄染《おうせん》を主訴に当院を受診したPtです。**
**採血の結果、ビリルビンと肝酵素の上昇を認め急性肝炎による黄疸《おうだん》と診断しました。入院後、ウイルス性肝炎、自己免疫性肝炎、薬剤性肝障害等の検査を行いましたが、全て否定的でした。また入院後、急速に肝障害は改善しています。**
**ご家族の話では九歳から十二歳まで、毎年二月末から三月初旬にかけて同様の肝炎が生じ、入院し精査しましたが、原因は分からず自然軽快したとのことです。**
**御多忙のところ恐縮ですが、貴科的ご高診をお願いいたします。**

内容に目を通した僕は、「聞いたことない症状だなぁ」とつぶやく。

僕が所属している統括診断部は、原因不明で複雑怪奇な症状を呈した患者を診察し、それに診断を下す診療科だ。今日もこうして、十六歳の少年の不可思議な肝炎の診察依頼を受け、消化器内科病棟へとやって来ていた。

「毎年同じ時期に起きる急性肝炎ですよ。どれだけ調べても原因が分からないまま、勝手に治っていくんです。不思議じゃないですか？　不思議でしょ？」

隣を歩いている鴻ノ池舞《こうのいけまい》が、わずかに茶色がかったショートの髪を揺らしながら、テンション高く言う。なかなか優秀で、指導医たちからの評判もいい一年目の研修医なのだが、僕にとって彼女は『天敵』だった。日常的にからかわれているし、統括診断部の部長と僕が付き合っているという根も葉もない噂《うわさ》を鴻ノ池に流されたせいで、この病院に派遣されてからの僕の恋愛事情は悲惨なものになっている。

「耳元でぴーちくぱーちく、うるさいな。検査データを確認しているんだから、ちょっと黙っててくれよ」

「なんですか、その言い方。私が指導医に勧めたんですよ。『この患者さん、統括診断部に一度診てもらった方が良《い》いんじゃないですか？』って。そうじゃなきゃ、肝炎は治ったからって、原因不明のまま退院になっていましたよ」

現在、鴻ノ池は消化器内科で研修を行っていて、診察依頼書にも消化器内科の指導医とともに連名で名前が記されていた。なので、詳しい話を聞こうと声をかけたのだが、ウザったいから一人で診察に行けばよかったと、いまさらながら後悔している。

「そういえば、鷹央《たかお》先生は来ないんですか？　なんで小鳥《ことり》先生しかいないんですか」

僕の上司である統括診断部部長の天久《あめく》鷹央のファンを公言している鴻ノ池は、きょろきょろと周囲を見回す。

「『しか』とか言うなよな……。あの人は読んでいる本格ミステリ小説がちょうど佳境に入ったんで来ないよ」

　僕は数分前のやり取りを思い出す。

　この天医会《てんいかい》総合病院の屋上に建っている統括診断部の医局のソファーに寝そべって、分厚いハードカバーの本を読んでいる鷹央に、「消化器内科から依頼が来ている患者さんの診察に行きますよ」と僕は声をかけた。

　百五十センチに満たない短身瘦軀《そうく》を、普段着にしている若草色の手術着に包んだ鷹央は、こちらを見ることもせず軽く手を振った。

「いま、いいところだから、嫌だ」

「嫌だって、仕事ですよ」

「とりあえず、お前が診てこい。お前も統括診断部にきてもうすぐ八ヶ月になる。そろそろ、診断医として実力がついてきたはずだ。まずは自分一人で診断をつけられるように努力してみろ。それが経験になる。お前の手に負えないような不可解な症例だったら、私が出ていってやる。これは指導医としての親心だ」

「……たんに本を読んでいたいだけでしょ」

　僕が突っ込むと、鷹央は目線を上げて、よく高校生に、ときには中学生にも見間違えられる童顔を紅潮させながらまくし立てた。

「だって、いまいいところなんだぞ。とうとう『読者への挑戦状』まで辿《たど》り着いたんだ。謎を解くための全ての証拠はそろっている。よき推理を祈るなんて書かれたら、挑戦せずにはいられない。ミステリフリークなら分かるだろ」

「いえ、僕はミステリフリークではないので、なんとも……」

「ぐだぐだ言っていないで、さっさと行ってこい。その間に、私は謎を解いてるから」

　虫でも追い払うように手を振られ、僕は仕方なく一人で診察に向かったのだった。

　あまりにも自由奔放な上司に振り回され、ため息が漏れてしまう。

「鷹央先生、どんな小説読んでいるんですか？」

　鴻ノ池が好奇心で目を輝やかせながら訊ねてくる。

「なんか、ガラスでできた塔で、連続殺人が起きる話らしいぞ」

「へー、面白そう」

　そんな話をしているうちに、目的の個室病室の前までやってきた。僕はノックをして扉を開ける。

「失礼します。統括診断部の小鳥遊と申します。主治医の先生から依頼を受けて診察に参りました」

　ベッドと床頭台だけが置かれた、六畳ほどのこぢんまりとした個室病室。ベッドのそばには中年の女性が暗い顔で座っている。おそらくは患者の母親だろう。部屋を素早く見回し、最後にベッドに横たわっている少年を見る。

かなり外見が整った少年だった。細く高い鼻梁《びりょう》、大きく涼やかな二重の目、薄い唇。少年の可愛《かわい》らしさと、青年の精悍《せいかん》さが、絶妙なバランスを保っている。

「かなりの美形でしょ。入院してから、ファンの女子たちがけっこうお見舞いに来ているし、ナースたちにも『可愛い！』って、大人気」

鴻ノ池が小声で囁《ささや》いてくる。

「あの、よろしくお願いします。母の宮本真知子《まちこ》といいます。翔馬がなんの病気か、分かりますでしょうか？」

真知子と名乗った母親が立ち上がって、縋《すが》りつくような眼差《まなざ》しを向けてくる。患者の宮本翔馬も、ベッドで上体を起こすと、会釈をした。

「診断をつけるために全力を尽くします。そのために、まずはお話を聞かせてください。これまで、何回も肝炎になっているんですよね」

「はい、今回で五回目です。最初は小学三年生のときで、その後、六年生までに四回、肝炎になりました。体が動かなくなって、あと白目が黄色くなって」

真知子が早口でまくし立てる。黄疸が出るほどの肝炎ということは、かなりの重症だ。それが急速に進行したとなれば、劇症化して肝移植が必要になったり、最悪、肝不全で命を落とす可能性も否定できない。母親が不安になるのも当然だろう。

「その際も入院したんですよね」

「はい。毎回、入院してからじわじわ肝炎はよくなっていって、二週間ぐらいで退院できるんです。けれど、なんで肝炎になるのかは、いつも分からなくて……。また、なんの拍子に悪くなるかも分からないので不安なんです」

　母親の声が震える。

「いつも、早春に肝炎が起きているんですよね。原因に心当たりは？　たとえば、その時期に近所で農薬を撒《ま》いているとか、害虫駆除をしているとか。あとは、アロマを焚《た》いたり、空調の掃除をしたりしているとかはないですか？」

　化学物質に反応して、肝炎を起こしていることも考えられる。しかし、母親はかぶりを振った。

「いいえ、色々と調べましたけど、そういうことはありません」

「その時期に、なにか特別なものを食べるとかは？」

　僕の問いに、今度は翔馬が「いいえ」と答えた。

「飯は母さんが作ってくれているし、部活が終わってから買い食いとかはしたりしますけど、それは年中だし」

　この時期だけ摂取する食物や化学物質は否定的か……。いや、けれど入院すると治るということは、やはり自宅でなんらかの原因物質を取り込んで、それで肝炎を起こしているのでは……。

僕が頭の中で情報を整理していると、真知子が「あの……」と声をかけてくる。

「翔馬は甲殻類アレルギーと、軟体類アレルギーがあって、カニ、エビ、イカ、タコが食べられないんですけど、それって関係ありますか?」

「最近、それが入っているものを特に口にするようなことはあったかな?」

僕が視線を送ると、翔馬は首を振った。

「ないと思います。すごく気を付けているから」

「じゃあ、関係ないか……」僕は腕を組む。「中学に入って以降はずっと肝炎は生じていなかったんですよね。その間に引っ越しとかはしませんでしたか?」

「していません。ずっと同じ家に住んでいます。四年近く起こらなかったんで、もう治っていたと思ったんです。それなのに、また……」

真知子は唇を噛《か》んで俯《うつむ》いた。僕は翔馬に視線を送る。

「肝炎が起こらなかった間、なにか環境に変化はなかったかな?」

「特に、そんな変わったことはないと思います。中学、高校と学校は変わりましたけど、ずっと部活でサッカーをやっていますし。中学は男子校で、かなり練習は厳しかったです。まあ、いまも厳しいですけど」

そこで言葉を切った翔馬は、悔しそうに鼻の付け根にしわを寄せた。

「本当は明日から遠征で試合だったのに……。頑張ってレギュラーを取ったのに……」

顔をしかめる翔馬に、僕は静かに声をかける。

「残念だね。けれど、病気の原因が分かれば、きっとまたすぐに試合に出られるようになるよ。それじゃあ、とりあえず診察してもいいかな？　ベッドに横になって、まずは聴診からはじめるね」

毎年、同じ時期に生じる肝炎……。いったいなんでそんなことが？

頭の中で必死に原因を探りながら、僕は聴診器を耳に掛けた。

2

宮本翔馬の診察を終えた僕は、屋上へと続く階段を上がっていた。

「なんでお前がついてくるんだよ。消化器内科で研修中だろ」

なぜか隣を歩いている鴻ノ池を横目で見る。

「指導医の先生から、翔馬君の件について、統括診断部との連絡を一任されているんですよ。先生もどうにか退院前に診断をつけてあげたいらしくて、こっちに集中していいって許可してもらいました。だからついていってもいいでしょ？　また鷹央先生の鮮やかな診断を見たいんです」

鴻ノ池はテンション高く言う。

「好きにしてくれ」

嘆息しつつ、階段を上りきった僕は、重い扉を押して開く。春の足音を感じさせる、爽やかな風が吹き込んできた。

屋上の中心には〝家〟が鎮座していた。赤レンガ造りの、西洋童話に出てきそうなファンシーな建物。そここそが、統括診断部の医局にして、部長である天久鷹央が理事長の娘という立場を最大限に利用して建てた自宅だった。

〝家〟に向かって歩き出すと、鴻ノ池が「あっ、小鳥先生、分かってますよね」と声をかけてくる。

「明後日はホワイトデーですよ。ちゃんとお返し考えているんでしょうね」

「分かった分かった。なにかクッキーでも用意しておくよ。それでいいだろ」

先月の十四日、「純然たる義理です。でも、お返しは期待しています」と、鴻ノ池から手作りのフォンダンショコラをもらっていた。

「私へのお返しはどうでもいいんですよ。手作りフォンダンショコラ、研修医、指導医かまわず、知り合いの男性にばら撒いたんで、どうせ色々とプレゼントもらえるだろうし。多分、原材料の百倍以上の利益にはなるはずです」

「……計算高すぎないか」

僕が呆《あき》れていると、鴻ノ池は「それより」と鼻先に指を突きつけてくる。

「鷹央先生ですよ。鷹央先生に、ホワイトデーのお返しをしてください」

「いや、鷹央先生からバレンタインチョコなんてもらってないぞ。というか、お前からもらったフォンダンショコラ、医局に置いていたら鷹央先生に奪われて食われたんだけど……」

「フォンダンショコラを作るのに、鷹央先生にも手伝ってもらったんです。だからある意味、鷹央先生から小鳥先生への愛のバレンタインチョコだったとも言えます」

「強引すぎるだろ。そもそも、鷹央先生が手伝ったって、なにをしたんだよ。あの人、めちゃくちゃ不器用だから、料理なんてできないはずだぞ」

「卵を割ってもらいました。……力の加減が下手っぴで、大量の殻がボウルに入って、取るのが大変でした。床にも何個も落として割るし……」

そのときの苦労を思い出したのか、鴻ノ池の顔に暗い影が差す。しかし、すぐに気を取り直したように「とにかく！」と声を張り上げる。

「ちゃんと、鷹央先生にもホワイトデーのプレゼント、準備しておいてください。普段、お世話になっているんだから、そのお礼も必要でしょ」

「たしかにお世話になっているけど、それ以上にお世話している気が……」

洗濯やら掃除やら、生活能力のない鷹央の身の回りの世話を色々と焼いている。そしてなにより、彼女の『捜査』の助手として、いつも振り回されているのだ。

鷹央の元には、様々な不可思議な事件の情報が流れ込んでくる。超人的な知能、膨大な知識、そして何より無限の好奇心を持つ彼女は、興味を惹《ひ》かれた『謎』があると、獲物を狙う肉食獣のようにその真相をあばくまで調べ続ける。その際に、部下の僕が巻き込まれるのだ。

鴻ノ池とだらだらと話しているうちに、〝家〟の玄関前にやってきた。僕は軽くノックしたあと、扉を開く。外観とは対照的に、室内は薄暗く、不気味な雰囲気を醸し出している。

パソコンデスクやソファー、壁掛けの巨大な液晶テレビに加え、グランドピアノにジュークボックスまで置かれた部屋のいたるところに、本が積み上げられた〝本の樹《き》〟が生えている。医学をはじめとする多様な分野の専門書、様々なジャンルの小説や漫画、映画のパンフレット、果てはアニメの専門雑誌、アイドルのグラビア写真集まで、それらの雑多な書物は全て、鷹央の蔵書だった。

「おう、お疲れさん」

ソファーに腰掛け、クッキーを食《は》んでいた鷹央が片手を挙げる。

「もう、ミステリ小説は読み終わったんですか？」

「ああ、終わったぞ。トリックも犯人もすべて完璧に当ててやった。きわめて複雑で、さらにメタ要素まで入っていたが、私の知能が競り勝ったよ。ただ、動機についてだけは分からなかった。まさか、あんなとんでもない動機だとは。しかし、たしかに伏線はあった。いやあ、あれは美しかった」

物語を反芻《はんすう》しているのか、鷹央は天井辺りに視線を彷徨わせる。

「それはよかった。それじゃあ、仕事に戻りましょう」

「え？　次のミステリを読んで、真相をあばけって言うのか？」

鷹央はネコを彷彿《ほうふつ》させる大きな二重の目をしばたたいた。

「違います。いつから先生は医者じゃなくて、フィクションの名探偵になったんですか。原因不明の肝炎の患者さんについてですよ」

僕が突っ込むと、鷹央は数秒、首を傾けたあと「ああ！」と両手を合わせた。本気で忘れていたらしい。

「で、どうだった。診断ついたか」

「すみません。はっきりとは……。なにかの環境的要因かなとは思うんですが、その原因の特定まではできませんでした」

僕が首をすくめると、鷹央はわざとらしく大きなため息をついた。

「まったく、私が八ヶ月も指導してやっているのに情けない。よし、とりあえず問診してきた内容を教えろ」

ソファーから立ち上がった鷹央は、さっきまで読んでいたハードカバーのミステリ小説を手近にある〝本の樹〟に載せると、電子カルテが置かれたパソコンデスクの椅子に座り、翔馬のカルテを表示する。

検査結果を眺めている鷹央に、僕はさっき翔馬とその母親から聞いた話を伝えていった。一通り聞き終わった鷹央は、画面を見つめながらひとりごつ。

「ウイルス性肝炎、自己免疫性肝炎、原発性胆汁性胆管炎、寄生虫も否定的か。特に服薬歴もないから、薬剤性肝炎も違うな。脂肪肝でもないから非アルコール性脂肪肝炎も違う。おお、さすがは消化器内科だ、ちゃんとアルコールについても調べてあるな。アルコール性肝炎も違うっと」

「アルコールって、まだ高校一年生ですよ」

僕が口をはさむと、鷹央は横目で冷めた視線を送って来る。

「高校生だろうが、中学生だろうが、飲むやつは隠れて酒を飲む。高校生だからアルコール性肝炎ではないなんていう先入観を持ったら、正しい診断にたどり着けるわけがないだろ。ありとあらゆる可能性をリストアップし、その中から診察や検査で正解に迫っていく。それこそが診断学の基礎だ。お前、この八ヶ月、ここでなにを勉強してきたんだ」

辛辣だが、反論の余地がない正論だった。

「すみません……」

うなだれる僕に、鴻ノ池が「おっこられたー」とちゃちゃを入れてくる。やっぱり連れてくるんじゃなかった。

「もう一度、患者のところに行くぞ」

鷹央は椅子の背もたれにかかっていた白衣を手に取り、勢いよく羽織った。

「それでは、真打登場といこうか」


鷹央、鴻ノ池とともに、僕は再び消化器内科病棟へ戻ってきた。廊下を歩いていると、翔馬の病室の扉が開き、背の高い精悍な顔つきの少年が出てきた。年齢は高校生といったところだ。少年は僕たちに気づくと、顔を伏せ、逃げるように小走りに去っていった。

「誰だ、あれ？」

少年を見送った鷹央が小首をかしげる。

「さあ、友達が見舞いに来ていたんじゃないですか。でも、なんで逃げたんだろ？」

鴻ノ池が唇に指を当てた。

「まあ、いい。とりあえず、宮本翔馬に会うぞ」

鷹央は大股に、翔馬の部屋の前まで歩を進める。

「本当にかなり可愛い顔しているんですよ。鷹央先生、驚かないでくださいね」

興奮気味の鴻ノ池が言った。

「いくら美形でも、子供を口説いたりするなよ。警察沙汰になるからな」

僕が皮肉を込めて言うと、鴻ノ池は「それは大丈夫です」と、ぱたぱた手を振る。

「私、年下の男に興味はないんで。それに恋人に求める条件は顔じゃありません」

「なんだ。優しさか？　それとも、経済力か？」

「いいえ、筋肉です」

迷いない口調で、鴻ノ池は言い切る。

「やっぱりせっかく付き合うなら、鍛え上げられた筋肉を鑑賞して、愛《め》でられないと。翔馬君はちょっと細身すぎますよ。もっと、こうなんというか、肉々しく隆起して、服の上からでも分かるくらいパンプアップしたマッソーが……」

「分かったから、落ち着け。お前の性癖をこれ以上、聞きたくない」

僕が慌てて止めると、「何の話をしているんだ。いいから行くぞ」と鷹央が僕たちを睨《にら》み、ノックもせずに扉を開ける。少しだけ上体部分を起こしたベッドに横たわり、後頭部で両手を組んでいた翔馬の体が大きく震えた。

「お前が宮本翔馬だな」

鷹央はつっかけているサンダルを鳴らし、ベッドに近づいていくと、まじまじと翔馬を観察する。もう帰ったのか、母親の姿はなかった。

「なるほど、たしかに美形だな。ただ、私はあまり可愛い男には興味がないんだ。どちらかというと、美少女の方が……」

「なんの話をしているんですか」

僕は十数秒前にかけられたつっこみを返す。

「あの、誰ですか？」

不安げに訊ねる翔馬に、鴻ノ池が声をかける。

「統括診断部部長の天久鷹央先生よ。翔馬君の肝炎の原因を調べるために、診察しに来てくれたの」

翔馬は「はぁ……」と曖昧に頷《うなず》く。自分と同年代のような外見と、統括診断部の部長医師が、頭の中でうまく結びつかないのだろう。

ふと僕はそのとき、床頭台に掌《てのひら》にのるサイズの赤い箱が置かれていることに気づいた。見舞い品だろうか。

そういえば今日の帰りに、ホワイトデーのお返し用のお菓子でも買って帰らないとな。卵を割っただけの（しかも失敗しまくった）鷹央にお返しが必要なのかはよく分からないが、渡さないと鴻ノ池がうるさそうだし、鷹央の機嫌も良くなるだろう。

赤い箱を見ながらそんなことを考えていると、なぜか翔馬が慌てて箱を床頭台の抽《ひき》斗《だし》の中にしまい、睨みつけるように僕を見てきた。

なにか気に障ることでもしてしまっただろうか？　張り詰めた空気を誤魔化すかのように、僕は軽い声で訊ねる。

「いま出ていった男の子は友達なのかな？」

「……出ていったって？」

翔馬は低くこもった声で質問を返してくる。

「いや、ほんのちょっと前に、ここから君と同い年くらいの少年が出てきて……」

「知りません。見間違いじゃないですか？　変なこと言わないでください」

明らかな怒りをぶつけられ、僕は「ご、ごめん」と謝罪することしかできなかった。

鴻ノ池も戸惑いの表情を浮かべる。そんな硬い空気のなか、唐突に鷹央が両手を伸ばし、翔馬の頭部を左右から鷲《わし》摑《づか》みにした。

「な、なにするんですか？」

動揺する翔馬の顔を、鷹央は何も答えることなく、至近距離で凝視する。

「うむ、たしかに整っているな。お前の顔のパーツの配置は、黄金比に近いのかもしれない。黄金比にこそ、人間は美を感じると言われているからな」

そこで一度言葉を切った鷹央は、「ただし」と付け加えた。

「お前の顔を美しく見せている要素は、他にもある。それこそが本来は医師が気づくべきものだ。まったく、何人もの医師が見逃すとは。情けないことこの上ない」

「鷹央先生、あの……、どういう意味ですか？」

鷹央がなにを言っているのか理解できず、僕はおずおずと訊ねる。

「問診でお前が訊ねるべきことが、他にあったって言うことだよ」

鷹央は翔馬の顔面を離すと、唇の端を上げた。

「おい、お前、牡蠣《かき》は好きか？」

「え？　かき？」翔馬は狐《きつね》につままれたような顔をする。

「そうだ。貝の牡蠣だよ。フライにしてタルタルソースをかけたり、生のままレモンをかけて食べたりするやつ」

「いえ、あまり……。幼稚園児の頃、牡蠣に当たったことがあるんで、自分からは食べません」

「ああ、生牡蠣はノロウイルスによって強烈な急性胃腸炎を起こすことがあるからな。私も当たって苦しんだことがある。ただ、そのリスクを負ってでも食べたいほど、生牡蠣は美味《うま》いんだよな。特に私の好みは、レモンでなくブランデーを数滴たらして、そのままツルっと」

「鷹央先生、なんの話をしているんですか」

僕の指摘に、鷹央ははっとした表情になる。ひどい偏食で、基本的にカレーと菓子類しか食べない鷹央だが、どうやら好物の酒と一緒にならその他のものも食べるらしい。知り合って八ヶ月になるが、新しい発見だった。

「ああ、悪い悪い。じゃあ、レバニラ炒《いた》めはどうだ？」

「えっと、レバーは少し苦手で」

「甘いものは好きか？」

「嫌いじゃないですけど、そんなには食べません。それよりは、部活の仲間とハンバーガーとか食べることのほうが多いです。時々、アイスとかは食いますけど。あの……、それって俺の病気に関係があるんですか？」

「ああ、もちろんだ」

鷹央はにやりと笑うと、高らかに宣言した。

「お前がなんの病気か分かったぞ」

「え？　俺の病気が分かった？　どういう意味ですか？」

翔馬が甲高い声を上げるのを前に、僕は呆然《ぼうぜん》と立ち尽くす。ふと見ると、隣に立つ鴻ノ池も目を丸くしていた。

「そのままの意味だ。まあ、これから確認するから、明日には確定診断が出せるだろう。それじゃあ、また明日の朝にでも来るから、それまで待っていろ」

鷹央は白衣の裾をはためかせながら身を翻すと、病室から出ていく。僕と鴻ノ池は、慌ててそのあとを追った。

「鷹央先生、本当に診断がついたんですか？」

小走りに追いついて訊《たず》ねた僕に、鷹央は「当たり前だろ」と鼻を鳴らした。

「極めて整った外見をしていて、甲殻類・軟体類アレルギー。中学は男子校で、牡蠣は食べられず、甘いものもそれほど取らない。そんな奴《やつ》がこの時期に肝炎を起こす。もう、答えは一つしかない」

鷹央は肩をすくめる。

「そもそも、私は宮本翔馬を一目見た瞬間に、その疾患だとほぼ確信した。あとは確認しただけだ」

「一目って、どうやって……？」

僕がつぶやくと、鷹央は湿った視線を向けてきた。

「すぐに答えをもらおうとするんじゃない。診断に必要な情報をお前は全て持っている。明日の朝まで待ってやるから、今晩しっかり考えろ。必死に頭を絞ってな」

鷹央はそう言い残すと、サンダルを鳴らしながら廊下を進んでいった。

「よし、氷魚《ひお》先生、楽にしていいぞ」

鷹央が耳に掛けていた聴診器を外す。

「どんな感じかな？　なにか異常はあったかい、鷹央君」

患者用の丸椅子に腰かけている御子神《みこがみ》氷魚は、たくし上げていたブラウスを戻しながら、生徒に質問する教師のような口調で訊ねた。

「心雑音はないし、脈拍も正常だが……、少しだけ不整脈が出ているな。おそらく、心室性期外収縮だ」

鷹央の表情がわずかに硬くなる。

宮本翔馬の診察をした翌日の午前八時半、僕たちは天医会総合病院の十階にある統括診断部の外来診察室で、診察を行っていた。

まだ外来をはじめる時間ではない。しかし、いま受診している御子神氷魚は統括診断部にとって、というか鷹央にとって特別な患者だった。そのため、月に一回、こうして診療時間前に鷹央が自ら診察を行っている。

「だろうね。先月とったホルター心電図でも心室性期外収縮はかなり頻繁に出ていた。今年のはじめのデータから明らかに悪化している。典型的な経過だな」

氷魚はおどけるように華奢《きゃしゃ》な肩をすくめる。

動脈血のように真紅に染め上げられたボブカットの髪、濃いアイシャドーで縁取られた切れ長の目、黒い光沢を放つ長いネイルには、一本一本にやけにリアルな魚の絵が描かれている。

かなり独特なファッションセンスをしているので一見すると年齢不詳だが、カルテによると六十二歳ということだった。

「ああ、心臓に沈着しているアミロイドの量が増えて、刺激伝導系に異常をきたしているんだろうな。たしかに、アミロイドーシスでは典型的な経過だ」

鷹央は硬い表情のまま小さくあごを引いた。

アミロイドーシスは、アミロイドと呼ばれる異常な蛋白質《たんぱくしつ》が全身の臓器に沈着して異常を引き起こす難病だった。特に心臓にアミロイドが沈着すると、次第に心機能の低下や不整脈が生じるようになり、最終的には心不全が生じて致命的になる。

「心室性期外収縮が増えること自体は問題ないと思う。抗不整脈薬の投与は予後を改善させないどころか、心機能の低下にも繋《つな》がる。問題は先日の心エコーの結果で、左室駆出率がさらに下がっていることだな……。利尿薬を増やすべきか。ただ……」

電子カルテのディスプレイに様々な検査データを表示させながら、鷹央は難しい顔でぶつぶつとつぶやきだす。

こうやって自分の世界に深く這入《はい》り込んだ鷹央は、声をかけられても気づかないほどの集中力を発揮する。しかし、彼女が診断ではなく、治療方針でここまで思考を巡らせることは珍しかった。

統括診断部は基本的に、複雑怪奇な症状を呈して、他科がなんの疾患か分からないと匙《さじ》を投げた患者を診察し、診断を下すことを業務としている。診断がついた患者はほとんどの場合、適切な診療科に紹介され、そこで治療を受けることになる。それゆえ、外来患者の大部分が初診であり、定期的に外来に通院している患者はいなかった。

この御子神氷魚を除いて。

三年前に初期臨床研修を終えたばかりの鷹央がいきなり部長となり、立ち上げられた統括診断部。その最初の患者が氷魚だった。

すぐにアミロイドーシスの診断を下した鷹央だったが、循環器内科や代謝・内分泌内科に紹介することなく、自ら外来主治医として氷魚の治療に当たっている。それは氷魚が単なる患者ではなく、鷹央の『師匠』だからだった。

「御子神先生って、学生時代の鷹央先生の指導医だったんですよね」

鷹央の後ろで手持無沙汰になった僕は、なんとなしに氷魚に話しかけてみる。

「ああ、そうだよ。鷹央君が五年生のとき、ポリクリで私が教授を務めていた帝都大学医学部付属病院の総合内科に来たんだ」

氷魚は懐かしそうに目を細める。

ポリクリとは医学部で主に五年生が行う病院臨床実習だ。医学生たちは一年以上かけ、各診療科で医師の下について実際の臨床を学んでいく。

「学生時代の鷹央先生ってどんな感じでした？」

「いまと全然変わらないよ。天上天下唯我独尊って感じさ。コミュニケーション能力は壊滅的だから、担当になった患者さんを怒らせてトラブルになったりするけど、その一方で医学に関してはすでにありとあらゆる知識を網羅していたから、指導医の診断や治療についてずけずけと意見したりしてね。しかも、鷹央君の言うことが完全に正しいだけに、指導医たちのメンツは丸つぶれ。ほとんどの診療科のドクターたちが、鷹央君の指導医にはなりたくないって戦々恐々だったよ」

氷魚はけらけらと笑い声をあげた。

「ああ……、たしかにいまと変わらないですね。なんか初期臨床研修でもそんなことあったらしいし」

精神科部長の墨田《すみだ》が、研修医だった鷹央に診断の間違いを指摘され、大恥をかかされたという話を思い出す。それ以来、墨田は蛇蝎《だかつ》のごとく鷹央を嫌っていて、いまでも鷹央は精神科病棟に出禁《できん》になっていたりする。

「……おい」

ディスプレイとにらめっこしていた鷹央が、横目で僕を睨みつける。苦笑していた僕は頬を引きつらせて背筋を伸ばした。

ああ、しまった。まだ外の声が聞こえるくらいしか集中していなかったか。もっと深く自分の世界にダイブするまで待つべきだった。

後悔するが後の祭りだった。鷹央は地の底から響いてくるような声を出す。

「私が真面目に最善の治療法を考えているのに、お前はなに楽しそうに氷魚先生と雑談してるんだよ。しかも、なんで私の学生時代の話を聞き出そうとしているんだ」

「いえ、それはなんと言うか……、話の流れで……」

「とか言って、いざというときに反撃するために、本当は私の弱みでも摑めないかと思っているんだろ」

図星をつかれ、僕は「うっ」と言葉を詰まらせる。なんとかごまかそうと頭を絞っていると、氷魚が柏手《かしわで》でも打つかのように両手を鳴らした。

「はいはい、鷹央君、部下をいじめていないで集中する。師匠である私の治療についてなんだから、気を散らさないでしっかりと考えてくれよ」

「いじめているわけじゃ……」

鷹央が不満げに唇を尖《とが》らしつつも、再びディスプレイに向き直るのを見て、僕は胸を撫《な》でおろした。

「小鳥遊先生も大変だねえ。鷹央君にいつも振り回されているだろ」

「ええ、ものすごく大変です。御子神先生も鷹央先生が実習に来たとき、かなり苦労なさったんじゃ……」

そこまで言った僕は、鷹央が横目で湿った視線を向けてきていることに気づき、慌てて言葉を呑《の》み込む。

「いいや、全然大変なんかじゃなかったよ。むしろ楽しかった。はじめて『同類』に会えてね」

「同類？」

僕が聞き返すと、氷魚は大きく頷いた。

「そう。鷹央君ほど症状が目立たないけど、私も完全に同類さ。一度読んだ本の内容は決して忘れないし、五桁同士の掛け算の解も暗算できる。話せる言語は十ヶ国語以上あるし、あらゆるコンピューター言語までマスターしているんだよ」

得意げに自らの能力を説明していた氷魚は「ただし……」と寂しげに微笑《ほほえ》んだ。

「コミュニケーション能力の方はからっきしでね。相手の顔から感情を読み取ったり、心情を推察する能力が先天的に欠けている。そのせいで、患者さんや職場の同僚とよくトラブルになった」

そこで言葉を切った氷魚は、ワインレッドの髪を掻き上げる。

「まあ、このファッションのせいでもあるけどね」

氷魚がいま羅列した特徴は、まさに鷹央が持っている性質そのものだった。

鷹央はかつてはアスペルガー症候群と呼ばれ、いまは自閉症スペクトラム障害の一種とされている特性を持っている。超人的な知能を持つ一方、相手の表情や気持ちを読む能力が欠如しているため、他人とのかかわり、社会とのかかわりにおいて様々な苦労をしてきていた。

氷魚も同じような特性を持っているということか。けれど……。

「けれど、鷹央君に比べたら私が普通に見えるって顔ね」

考えていたことをずばり言い当てられ、僕は顔を引きつらせる。慌てて鷹央を確認するが、彼女はまばたきもせずに電子カルテを凝視したまま、呪文のように独り言をつぶやくだけだった。どうやらいまは、僕たちの会話が聞こえないほど、自らの世界の奥深くまで潜りこんでいるらしい。

小さく安堵《あんど》の息を吐いていると、氷魚が話を続ける。

「この特性を持って生まれ落ちてから六十年以上経《た》つからね。足りない能力も、いくらか経験で補えるよ。私だって二十代の頃は、鷹央君と同じくらい唯我独尊だった。この齢《とし》になって、しかも総合病院の院長なんかになったら、丸くもなるさ」

氷魚は皮肉っぽく唇の端を上げた。

氷魚は三年前から、西東京市にある御子神記念病院という総合病院の院長を務めているらしい。帝都大で総合内科の主任教授をしていたが、父親であり御子神記念病院の創設者でもある前院長ががんで倒れたとき、戻ってくるように懇願され、院長に就任したということだった。

同じように、父親に命じられてこの天医会総合病院の副院長を嫌々やっている鷹央とも、よく愚痴を言い合っていた。

「じゃあ、鷹央先生もいつかは御子神先生みたいになるってことですか？」

僕の問いに、氷魚は「うーん、どうかな？」と真紅の唇に指を当てた。

「私はかなり長く大学にいたからな。やっぱり医局ってムラ社会だろ。ある程度のコミュニケーション能力がないとそこで生きていくのは難しいんだよ。正直、若いときはかなり窮屈だった。つまり、私がある程度は他人と接する能力を獲得したのは、生存のためにそういう適応が必要だったからだ。一方で……」

氷魚は目を細めながら、再びぶつぶつとつぶやき自分の世界に入り込んでいる鷹央を見る。

「鷹央君は若いときの私より、はるかに生き生きとしている。自らの能力を最大限に発揮できる統括診断部っていう『居場所』を作ってもらえたからね。ここなら鷹央君は、私みたいに型にはまっていくことなく思う存分、能力を発揮できるさ」

「……少しは型にはまって欲しいんですけどね」

苦笑する僕を、氷魚はじーっと見つめてきた。その視線の圧力に、思わず軽くのけぞってしまう。

「な、なんですか？」

「ううん、鷹央君が生き生きとしているのは、統括診断部だけじゃなく、小鳥遊先生のお陰でもあるんだろうなと思っただけだよ」

「え、僕のですか？」僕は自分の顔を指さした。

「そう、さっきの鷹央君の反応、完全に君に心を許している感じだった」

「……そうですか？」思わず声に疑念が混じってしまう。

「私たちみたいな特性を持っていると、社会から拒絶されることが多い。だから、いつの間にか他人に強い警戒心を持つようになって、ヤマネコみたいに気性が荒くなる。けれど、小鳥遊先生と話している鷹央君は、まるで飼い猫みたいに可愛らしい。懐いているんだね」

ディスプレイに顔を近づけている鷹央を見て、氷魚は目を細めた。

「飼い猫……？　部下として、けっこうビシバシしごかれているんですけど……」

「ネコってそういうものだよ。たとえ飼われていても、犬みたいに飼い主に媚《こ》びることはない。気まぐれで、自由奔放で、虫の居所が悪いときにかまわれたら、嚙みついたり引っ搔《か》いたりすることもある」

「ああ……、たしかに」

実際に鷹央に嚙みつかれり、引っ搔かれたりした経験がある僕は、思わず納得してしまう。

「私が指導医をしていたときも、ここまで鷹央君が心を開いてくれることはなかったな。ちょっと妬《や》いちゃうよ」

氷魚は冗談めかして言った。

「いえ、けど鷹央先生は御子神先生のこと、すごく尊敬していますよ」

普段の鷹央の言動から、そのことは強く感じていた。そもそも、鷹央が『先生』という敬称をつけて他人を呼ぶことは極めて珍しい。

「そりゃあそうだよ。なんと言っても、鷹央君が診断医を目指したのは、私のお陰だからね」

「御子神先生のお陰？」

僕が聞き返すと、氷魚は得意げに胸を張った。

「ああ。私たちみたいな特性を持つ人間はね、目指せる診療科が限られるんだ。不器用だから、手技が重要な外科系は全滅。理論的な行動をしない小児の相手も苦手。そうなると、内科が候補になるけど、カテーテル治療をする循環器内科や、内視鏡を使いこなす消化器内科は無理だ」

「たしかにそうですね」

鷹央が以前、折り紙で鶴を作ろうとして、溶けてのたうち回っているカタツムリみたいな異形の生物を怪成させたことを思い出し、僕は大きく頷いた。

「他の内科でも、基本的に患者としっかりコミュニケーションを取り、治療方針なんかを決めていく必要がある。けれど、私たちはそれも苦手ときた」

自虐的に氷魚は唇を歪《ゆが》めた。

「結局、他人とあまりかかわらない病理部とか、基礎研究に行くことが多い。鷹央君もポリクリで色々な科を回ったけど、どこも水が合わなくて臨床は諦めようかと落ち込んでいた。そんな時に出遭ったのが、私という同志だったんだよ」

「じゃあ、御子神先生に憧れて、鷹央先生は診断医の道を志したということですか?」

鷹央の意外な過去を知り、僕は思わず前のめりになる。

「そうだよ。学生時代、鷹央君はよく私の指導を受けにきていた」

氷魚は首を縦に振った。

「自分と同じ特性を持つ私が総合内科の教授として、不可解な病状を呈している患者に次々に診断を下しているのを見て、鷹央君は目を輝かせていたな。『これなら、私にもできる。私も人を救えるんだ』って」

「御子神先生がいたからこそ、いまの鷹央先生がいるんですね」

感慨深い想いを抱きながら僕がつぶやくと、ずっとディスプレイとにらめっこを続けていた鷹央が「よし!」と声を上げた。

「やはり、フロセミドを五ミリグラム増やそう。いまの状況では脱水のリスクよりも、心負荷をとる方が予後の改善に繋がるはずだ」

「いろいろと検討してくれてありがとう、鷹央君。私の体はぼろぼろだから、治療の調整も難しいよな」

僕は診療記録で確認した氷魚の既往歴を思いだす。

全身臓器へのアミロイド沈着により、尿中に大量の蛋白質が漏出して栄養状態が悪化するネフローゼ症候群と、それに伴う腎機能障害、末梢神経障害による手足のしびれ。心臓刺激伝導系へのアミロイド沈着により生じた不整脈で失神したこともあり、四年前には心臓にペースメーカーの挿入も行っていた。

「それらを全て考慮したうえで、最も適切な治療法を導き出すのも内科医の実力だ。たしかに私の専門は診断学だが、治療にかんしても他の医者より遥《はる》かに知識がある。全く問題ないさ」

力強い鷹央の言葉に、氷魚は唇をほころばせた。

「弟子の成長は嬉《うれ》しい反面、ちょっと悔しくもあるな。できることなら、こんなにぼろぼろになる前に鷹央君とここの勝負がしたかった」

氷魚がこつこつと自らのこめかみを叩《たた》くのを見て、鷹央は不敵な笑みを浮かべる。

「いくら氷魚先生だって、私に勝てるわけがないだろ」

そこは師匠を立ててあげてくれ……。

「そうだな、たしかに私と鷹央君は同じ特性を持っているけれど、純度には大きな差がある。私より鷹央君の方が遥かにその特性が強い」

鷹央を見る氷魚の目に、わずかに憐憫《れんびん》の情が混じった気がした。氷魚は「ただし」と続ける。

「その純度の差を埋めて余りあるだけの経験を私は積んできた。だから、いい勝負が出来る気がする。本当に残念だ。君と臨床能力で競うことができないのは」

「……ああ、私も残念だ」

鷹央は哀《かな》しげに微笑んだ。

「それで鷹央君の見立てだと、私の余命はどれくらいかな？」

唐突に、なぞなぞでもするかのように軽い口調で氷魚は訊《たず》ねる。鷹央は表情を引き締めると、ゆっくりと口を開いた。

「心不全の進行具合から見ると、おそらく一年前後……。もっと短くてもおかしくはない」

「私の見立てと全く同じだ。これでは勝負にならないわね」

肩をすくめた氷魚は、椅子から立ち上がる。

「それじゃあ、次回は来月だな。もし来られたらの話だけど」

「大丈夫だよ、氷魚先生。私が治療をしているんだからな」

鷹央が言うと、氷魚は柔らかく微笑んだ。

「そうだな。弟子を信じないとな」

出入り口に向かった氷魚は、扉の取っ手に手をかけたところで「なあ、鷹央君」と振り返る。

「もし、鷹央君の見立てよりも遥かに早く私が死んだとしたら、それは自然死じゃない。私はある人物に殺されたということだ。そのときは鷹央君、君が謎を解いて、犯人を見つけてくれ」

「は？　どういうことだ？」

鷹央が訝《いぶか》しげに聞き返すと、氷魚はふっと相好を崩した。

「もしもの話だよ。あくまで、もしもの。そんな深刻に取らなくて大丈夫さ。ただ、頭の隅に入れといてくれればいい。それじゃあね、鷹央君、小鳥遊先生」

軽く手を振ると、氷魚は診察室から出ていった。扉が閉まる音が空気を揺らす。

「最後の御子神先生の言葉、どういう意味だったんですかね？」

僕は首を捻《ひね》る。

「さあな。もともとかなりの変人で摑みどころのない人だから」

鷹央は白衣のポケットから文庫本を取り出した。

「さて、午前の仕事まで少しあるし、私は読書をしてる。九時になったら教えてくれ」

「変人……ですか。変人のレベルで言えば御子神先生より鷹央先生の方が……」

口を滑らした僕は、文庫本を開いた鷹央にじろりと睨まれる。

「……私がなんだって？」

地の底から響いてくるような低い声で鷹央が言う。

「い、いえ、なんでもないというか……。あ、ところで今日は、何を読んでいるんですか？」

「『十角館《じゅっかくかん》の殺人《さつじん》』だ。新本格ムーブメントの火付け役になった作品だな。『あの一行』でまさに世界が一変する、超名作だ。昨日の作品を読んで、また再読したくなってな。それより……」

鷹央の目つきがさらに鋭くなる。

「お前、宮本翔馬がなんの病気なのか。なんでこの時期にだけ肝炎を起こすか、診断がついたか？」

「すみません。一晩、必死に考えたんですが……」

ああ、叱られるんだろうな。そう覚悟したとき、白衣のポケットで院内携帯が着信音を鳴らした。これ幸いとばかりに、僕は携帯を取りだす。

「はい、小鳥遊です」

『あの……、鴻ノ池です』

「おお、鴻ノ池か。どうした、こんな朝から」

僕が訊ねると、鴻ノ池が押し殺した声で言った。

『実は……。翔馬君が急変しました』

3

「どういう状況だ？」

扉を開けた鷹央が声を上げる。病室には鴻ノ池、中年の消化器内科主治医、宮本真知子、そして翔馬がいた。ベッドに横たわっている翔馬の顔を見て、僕は息を呑む。

その瞳の眼球結膜が、黄色く染まっていた。間違いなく黄疸が生じている。

「今日の未明、強い倦怠感を訴えたため、当直医が診察しました。その際、黄疸が出ていたので採血をして、肝庇護《かんひご》薬を点滴しました。採血の結果、再び肝酵素とビリルビンの上昇を認め、肝炎が再発したと思われます」

主治医は低い声で報告する。

「どうして、こんなことになったんですか⁉」

混乱しているのか、真知子が甲高い声を上げた。

「これまでは、入院したらそれでよくなったんです。また肝炎がぶり返すなんてことありませんでした。翔馬は大丈夫なんですか？　治るんですか？」

肝炎の原因が分かっていないだけに、主治医もはっきりとしたことは言えないのだろう。硬い表情で、「全力を尽くします」と声を絞り出した。そんななか、鷹央は翔馬のベッドに近づくと、そばに置かれている床頭台の抽斗を勢いよく開ける。翔馬の表情がこわばるが、倦怠感が強いためか抗議の声を上げることはなかった。

「……なるほどな」

鷹央がぼそりとつぶやく。

「天久先生、なにか分かったんですか？　鴻ノ池君の話では、昨日、翔馬君の疾患の診断がついたとか」

期待を込めて訊ねてくる主治医に、鷹央は静かに告げる。

「悪いが、お前と母親はいったん病室から出てくれるか」

「は？　なにを言っているんですか？　私は翔馬君の担当医ですよ」

主治医の声が裏返った。真知子も「嫌です。翔馬のそばにいます」と首を細かく横に振った。

「十五分でいい。私に時間をくれ。そうすれば、肝炎の原因を教えてやる。もちろん、治療法もな」

主治医と真知子の目が大きくなる。

「……私たちが席を外せば、診断がつくというんですか？」

主治医の問いに、鷹央は「そうだ」と大きく頷いた。

「たった十五分でいい。それだけで診断がつくし、もう宮本翔馬は二度と肝炎を起こさないで済む。悪くない取引だろ」

主治医は真知子と顔を見合わせたあと、「十五分だけですよ」と言って、病室をあとにする。ためらいがちに真知子もそれに倣った。

「なんで、母さんたちを？」

ベッドに横たわった翔馬が、弱々しい声で訊ねる。鷹央は柔らかく微笑んだ。

「昨日の様子を見ると、カミングアウトはまだなんだろ？」

翔馬の表情がこわばった。

「少なくとも、そのタイミングは自分で決めるべきだ。私の口から勝手に言うわけにはいかない」

「あの、カミングアウトって……」

おずおずと鴻ノ池が訊ねると、鷹央は左手の人差し指をぴょこんと立てた。

「今回、肝炎が再発した原因だ」

「え、どういうことですか？　そもそも、翔馬君はなんの病気なんですか？　なんで、この時期に毎年肝炎を起こしていたんですか？」

鴻ノ池は額に手を当てる。鷹央が僕に視線を送ってきた。

「小鳥、お前は昨日、宮本翔馬の診察をしたと言ったな。けれど、お前は最も大切な所見を見落としていたんだよ」

「え、大切な所見って……」

僕が聞き返すと、鷹央は「ここだ」と翔馬の瞳を指さした。

「目って、黄疸のことですか？」

「違うよ、よく見ろ。お前の目玉はビー玉かなにかか。結膜じゃなく、虹彩《こうさい》の方だ」

「虹彩……」

翔馬の虹彩、黒目の部分を見つめる。目を凝らすと、薄い金色の輪が虹彩を取り囲むように縁取っていた。僕は大きく息を吞む。

虹彩の周りに生じる金色のリング。これってもしかして……。

「もしかして……、カイザー・フライシャー輪？」

鷹央は「正解だ」と皮肉っぽく口角を上げる。

「……カイザー・フライシャー輪。ということは、……ウィルソン病」

僕がつぶやくと、鷹央は「ああ」と満足げにうなずいた。

「え、ウィルソン病ってたしか、銅の代謝疾患でしたっけ……？」

こめかみに手を当てて鴻ノ池が訊いた。鷹央は「そうだ」と人差し指を立てた左手を顔の横に持ってくる。

「ウィルソン病は胆汁中への銅の排泄《はいせつ》が阻害される、常染色体潜性遺伝形式の遺伝性疾患だ。排泄されなかった銅は、全身の臓器に蓄積して障害を起こす。日本での発症率は三万から四万人に一人と言われているな。特に症状が現れやすい臓器が、脳、腎臓、目、そして……肝臓だ」

「じゃあ、翔馬君の急性肝炎って……」

「そう、銅の蓄積により肝障害が生じたものだ。この虹彩の周りの金色の輪も銅が蓄積したもので、カイザー・フライシャー輪と呼ばれる、ウィルソン病に特徴的な所見だな」

「でも、どうしていつもこの時期に急性肝炎が起こって、入院したら自然に治るんですか？　どうして、中学生のときだけ発症しなかったんですか？」

鴻ノ池が早口で訊ねる。

「ウィルソン病は五歳以降に発症することが多い。そして、銅の蓄積の程度も個人差がある。小学生で発症したが、その後、神経症状や腎障害などをきたしていないということは、この少年のウィルソン病は軽度なんだろう。また、アレルギーで魚介類をそれほど食べられなかったのも不幸中の幸いだ。エビ、カニ、タコ、イカなどは銅を多く含んでいるからな」

「あ、じゃあ牡蠣とレバーについて訊いたのって……」

鴻ノ池が声を上げると、鷹央はあごを引いた。

「そう、牡蠣とレバーも銅が多く含まれる。ウィルソン病の治療の一つは、銅の摂取制限だ。この少年は、自然とそれを行っていたんだ」

「けど、なんでこの時期にだけ肝炎を起こすのか、やっぱり分からないんですけど……」

僕が首を捻ると、鷹央は横目で睨んできた。

「ここまで言ってもまだ分からないのか？　魚介類、レバー以外にも、銅を豊富に含む食品があるだろ」

「銅を多く含む食品……」

数秒間考えたあと、僕は大きく目を見開く。

「チョコレート！」

「そうだ」

鷹央は指を鳴らした。

「チョコレートは大量の銅を含んでいる」

「じゃあ、この時期に肝炎を起こすのって、もしかしてバレンタインの……」

鴻ノ池の口が半開きになる。

「そう。この少年ほど外見が整っていれば、バレンタインでは数えきれないほどのチョコレートをもらうだろう。普段は食べないチョコを、この時期だけ大量に摂取していると考えられる。そうだろう？」

鷹央に水を向けられた翔馬は、「……はい」と小声で答えた。

「捨てるわけにはいかないんで、少しずつ、二週間くらいかけて食べていました」

「それによって、大量の銅が体内に取り込まれ、排泄が間に合わずにため込んでしまった。そして、肝臓が銅により障害され、急性肝炎を起こしたんだ」

「中学時代に発症しなかったのは、男子校だったからですね」

僕が確認すると、鷹央は唇の端を上げた。

「そうだ。男子校ならそこまで大量のチョコをもらうことはなかっただろうから、中学時代は発症しなかった。しかし、高校が共学になって、また大量のチョコを食べて銅を取り込んでしまったんだ」

「けど、今朝、急に肝炎が再発したのはなんでなんですか？」

鴻ノ池があごに指を当てると、翔馬の顔がこわばった。

「そりゃ、チョコを食べたからだよ」

「え、でも病院食でチョコなんて出ませんよ」

「病院食じゃない。昨日、床頭台に箱が置いてあっただろ。あの中にチョコが入っていたんだ。いま抽斗を確認したら、昨日、この少年が入れていた箱が消えていた。違うか？」

翔馬は「……いいえ、違いません」と固い声で答えた。

「あの箱にチョコが入っていて、それが原因なら、別にお母さんたちに聞かせてもいいんじゃないですか？」

鴻ノ池がいぶかしげな表情を浮かべる。僕の頭にも同じ疑問が浮かんでいた。

「問題は、あれを誰が持ってきたかだ」

「誰が？　翔馬君のファンの女の子とかじゃないんですか」鴻ノ池は小首をかしげる。

「いいや、違うな。昨日、小鳥が箱を見たとき、この少年は慌ててそれを抽斗にしまった。ファンの女子が持ってきたものなら、別に隠す必要はないはずだ。それに、もうバレンタインデーから一ヶ月経っているのに、バレンタインチョコを渡すのもおかしいだろ」

「じゃあ、あれはなんのチョコだったんですか？」

「決まっているだろ。ホワイトデーのお返しだよ」

鷹央が答えると、翔馬の眉間に深いしわが寄った。

「ホワイトデー？　でも、翔馬君はお返しをあげる方なんじゃ？」

「バレンタインデーはそもそも、性別関係なく愛を告げる日だから、この少年が誰かにプレゼントを渡していてもおかしくない。ただ昨日、あの箱を慌てて隠していたところを見ると、その相手が誰なのかは絶対に知られたくなかったと考えられる。そこから導き出される答えは一つだ」

鷹央は自分の顔の前で、左手の人差し指を立てる。

「昨日、私たちが診察に来る直前に病室から出てきた少年。彼こそがホワイトデーのお返しを持ってきた人物だ」

翔馬の表情が、炎にあぶられた蠟《ろう》のようにぐにゃりと歪んだ。

「ということは、つまり……」

鴻ノ池が目をしばたたかせた。

「ああ、昨日の少年が逃げるように立ち去ったこと、この病室から出てきたのに、宮本翔馬がそれをやけに強く否定したことより明らかだ。二人は恋愛関係だ。そうだろ？」

鷹央は柔らかい口調で翔馬に語り掛ける。数秒口を固く結んだあと、静かに翔馬が語り出した。

「あいつは、部活のチームメイトです。先生が言ったように、三ヶ月前から付き合っています。バレンタインに俺はあいつにチョコを渡しました。だから昨日、あいつはお返しにってチョコをくれたんです。今日から遠征で、ホワイトデーには会えないからって」

そこで言葉を切った、翔馬は痛みに耐えるような表情を浮かべた。

「あの……。このことを、母さんに言うんですか？」

「そんなことするわけないだろ。母親に聞かれないように、わざわざ私たちだけで話したんだから」

鷹央が柔らかく微笑むと、翔馬は大きく安堵の息を吐いた。

「私が医師として伝えるのは、お前がウィルソン病であり、チョコの食べ過ぎで発症したこと、そして症状は軽度なので、今後、食事に注意すれば問題なく生活できるだろうという診断だけだ。まあ、今日の肝炎の原因になったチョコは、ファンの女子の一人が昨日、差し入れたものとでも説明しておけ」

「……ありがとうございます」

翔馬は声を絞り出しながら、額の前で両手を組む。その肩に、鷹央はそっと手を添えた。

「お前と恋人の関係は本来、まったく隠す必要がないものだ。たしかに、世間ではまだ、お前たちのような関係に偏見を持つ者がいる。ただ、それはお前たちの落ち度ではない。お前たちが胸を張って生きていける世界に、大人がするべきなんだ」

翔馬は「はい……」と嗚咽《おえつ》交じりに答える。

「だから、自分たちの関係を恥じるな。そして、いつか自分のタイミングで大切な人たちに、このことを伝えればいい。きっと、受け入れてくれるさ」

しゃくり上げる翔馬は、もはやただ頷くことしかできなかった。そんな姿を見ながら、鷹央は口角を上げた。

「ただ、一つだけ忠告しておこう。ホワイトデーのお返しは、次からはクッキーかマシュマロにしてもらえ」

＊＊＊

「かんぱーい」

鴻ノ池が赤ワインで満たされたグラスを掲げる。僕と鷹央もそれに倣った。グラスどうしが当たり、小気味よい音が響く。

宮本翔馬がウィルソン病だという診断を鷹央が下した翌日の午後八時過ぎ、僕、鷹央、鴻ノ池は、病院の屋上にある〝家〟で、僕が買ってきた赤ワインと高級チョコレートで宴会を開いていた。

とりあえず、ホワイトデーのお返しとしては、鷹央の好物である酒か菓子がいいと考え、さらに昨日の一件のこともあって、ちょっと良いチョコレートをつまみに赤ワ

イン を愉《たの》しもうという決断に至った。

翔馬は血液データで、銅代謝を示す指標である血中セルロプラスミン濃度が異常低値であることが確認され、ウィルソン病の確定診断が下された。今後は、代謝内科の外来で定期的に診察を受けることになるが、おそらくは銅を多く含む食物を制限するだけで問題ないだろうということだった。

鷹央のアドバイス通り、翔馬はもらったチョコはファンの女子が持ってきたものだと母親に伝えていた。

いつか誰にも恥じることなく、胸を張って恋人との関係を公言できるような時代になって欲しい。そして幸せになって欲しい。そんなことを考えていると、鷹央が上機嫌で話しはじめる。

「チョコレートの原料であるカカオの栽培は、紀元前二千年ぐらいに中米の古代メソアメリカで始まったとされている。貴重な食べ物なので神への供物として捧《ささ》げられたり、宗教儀式で使用されたりしていた。やがて、マヤ・アステカ文明にカカオは引き継がれ、精力剤や媚薬《びやく》としても使用されていたらしい」

ほとんど一気にワインを飲みほした鷹央は、ボトルを手に取ると、二杯目を自らのグラスになみなみと注いだ。

「そして、十六世紀の大航海時代、スペインが中米を征服した際に持ち帰って王に献上し普及しはじめた。最初はカカオと砂糖を混ぜて飲んでいたんだ」

「ココアみたいですね」

鴻ノ池はグラスに口をつけ、深紅の液体を口に含む。

「ああ、そうだな。初期のチョコは極めて高価であり、疲労回復や長寿の効果があるとされて富裕層にのみ許された嗜好品《しこうひん》だった。そして、やがてカカオの粉末を脂質とともに固める技術ができ、いまのチョコになっていった。ちなみに、チョコレートを食べられる動物はそれほど多くないことを知っているか？　犬や猫がチョコを食べると中毒症状を起こす」

「たしか、テオブロミンでしたっけ」

僕がグラスを回しながら言うと、鷹央は「そうだ」と頷いた。

「テオブロミンは人間以外の多くの動物に強い毒性を持つ。チョコ、つまりはカカオというのは、多くの動物にとって危険な食べ物……」

鷹央は箱の中からチョコを一粒つまみ取る。

「禁断の果実というわけだ」

チョコを口の中に放り込みながら、鷹央はシニカルに微笑んだ。

Karte. 02

# 七色の猫

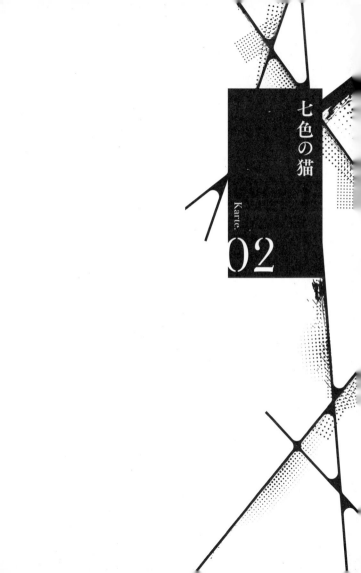

鳥のさえずりが優しく鼓膜をくすぐる。初夏の爽やかな空気が心地よかった。昨日は雨が降っていたが、今日は一転して空が晴れわたり、絶好の散歩日和だ。

午前七時すぎ、東京都東久留米市《ひがしくるめ》に建つ天医会《てんいかい》総合病院の裏手の敷地にある、十五メートル四方ほどの小さな庭園。

よく手入れされた木々が立ち並ぶ遊歩道を、薄緑色の手術着の上に白衣を羽織った天久鷹央《あめくたかお》はてくてくと歩いていた。

「私だってな、時々散歩ぐらいするんだよ……」

鷹央は口の中で独り言《ひとりごと》をころがす。

「まったく、あのうどの大木め。失礼なことを言いやがって」

ぶつぶつ言う鷹央の頭の中では、部下である小鳥遊優《たかなしゆう》の小憎らしい表情が蘇《よみがえ》っていた。

昨日、外来、回診などの日常業務を終えた鷹央は小鳥遊とともに、天医会総合病院の屋上に建つ、鷹央の〝家〟に戻ってきた。

鷹央がソファーに横になり、文庫本片手にポリポリとかりんとうを囓《かじ》っていると、部屋の隅に置かれた電子カルテに、回診した患者の診療記録を入力していた小鳥遊が呆《あき》れを含んだ口調で声をかけてきた。

「こんなじめじめした部屋にいつも引きこもってないで、たまには病院の外を散歩でもしたらどうです？　そのうち体にカビが生《は》えますよ」

カビが生える？　人間の体にカビが生えるということは白癬菌《はくせんきん》感染、つまりは水虫のことか？

「本当に失礼な奴《やつ》だ。そりゃ、私は風呂は嫌いだが、ちゃんと体を清潔に保っている。レディになんてことを言うんだ、あの馬鹿は」

鷹央は唇を尖《とが》らせながら遊歩道脇のベンチに腰かけると、庭園を見渡した。患者やその家族の憩いの場にと作られたこの庭園は、普段はそれなりに人通りが多いが、さすがに早朝の今は閑散としている。鷹央は以前からこの時間帯を狙《ねら》って、時々ここを散歩していた。

「まあ、ここも病院の敷地内だから、厳密には『病院の外』ではないかもしれないけれど、『病院』という言葉は建物を指す場合もあるので、ここも広義には病院の外だ。ということで、私はあいつが知らないだけで、ちゃんと『病院の外』に出ていることになる」

鷹央は左手の人差し指を立てると、どこか得意げに喋《しゃべ》りはじめる。

「第一、外にでないといけないっていう考え方自体が時代遅れなんだ。今はネットでどんな情報にもアクセスできるし、なんでも買うことができる。ネット環境が整っている時点で、私は『家』に居ながらにして世界と繋《つな》がっているんだ。なので、あいつの言った『引きこもっている』という言葉は正しくないことになる。つまり、私はべつにあいつに言われたから散歩しているわけではなく、ただなんとなく気が向いたからこうして……」

誰にともなく滔々《とうとう》と語っていた鷹央は、言葉を止めると、ぴくりと体を震わせて周囲を見渡す。

「気のせい、か？」

そうつぶやいた瞬間、再び鷹央の体が小さく震える。

「……気のせいじゃないな」

鷹央はゆっくりとベンチから腰を上げると、耳をすます。

一般的な人間よりもはるかに鋭敏な聴力が、かすかな空気の振動をとらえ、その発生源の位置を探っていく。足音を殺し、背中を曲げながら、鷹央は遊歩道をゆっくりと進んでいく。それにつれ、鼓膜が感じる振動は少しずつ、しかし、確実に大きくなっていった。

すり足で庭園の一番奥まったところまで移動した鷹央は、背の低い茂みの前で足を止めた。間違いない、この奥だ。この奥に『あれ』がいる。

鷹央はつばを飲み込むと、茂みを掻《か》き分《わ》けようと重心を前方に移す。その瞬間、昨日の雨で濡《ぬ》れた地面に足を取られた。バランスが大きく崩れる。

「ふわあああぁ⁉」

気の抜けた悲鳴を上げながら、鷹央は茂みへとダイブしていった。鷹央は固く目を閉じる。

茂みがクッションになったおかげか、衝撃は予想よりだいぶ弱かった。鷹央は目を閉じたまま、一瞬パニックになりかけた気持ちを整える。

大丈夫だ。怪我《けが》はしないですんだようだ。鷹央は固く閉じていた瞼《まぶた》をおそるおそる上げていく。

「ほわぁ⁉」

喉《のど》の奥から、再び気の抜けた音が漏れる。

目の前に『それ』がちょこんと座り、鷹央の顔をじっと見つめていた。

1

屋上に続く扉を開けると、湿った空気が吹き込んでくる。

僕、小鳥遊優は顔をしかめながら屋上へと出る。午後六時を過ぎているが、初夏だけあって日が長い。この天医会総合病院の屋上は、夕日で紅《あか》く染め上げられている。

僕は屋上に出ると、自分のデスクのあるプレハブ小屋へと向かう。

屋上の中心には赤レンガ造りの〝家〟が鎮座《ちんざ》していた。東久留米市全域の医療の中枢を担うこの大病院の屋上には、あまりにも似つかわしくないファンシーな外見の建物。僕が所属する統括診断部の部長、天久鷹央の私邸にして、統括診断部の医局だった。

鷹央の家を横目に見ながら、屋上を進んでいく。体の奥にヘドロのような疲労が溜《た》まっていた。

今日は一日中、救急部で診療にあたっていた。上司である鷹央の命令で僕は週に一日、猫の手も借りたいほど忙しい救急部で『レンタル猫の手』として勤務している。この天医会総合病院は三次救急、つまりはもっとも重症な患者を受ける病院に指定されていた。そのため、救急部には重症患者がひっきりなしに搬送されてきて極めて多忙だ。二週間ほど前、近くを走る国道でトラックを含む車十数台が絡んだ多重交通事故が起こったときなどは、救急室が重症患者で埋め尽くされ戦場と化した。

〝家〟の裏手に回ると、みすぼらしいプレハブ小屋が見えてくる。

さっさと着替えて帰ろう。そう思ったとき、大きな物音が鼓膜を揺らした。僕は反射的に音のした方向を向く。音は明らかに鷹央の〝家〟の中から響いてきた。

また、鷹央先生が〝本の樹《き》〟を崩したのかな？

鷹央の〝家〟の中は、無造作に積まれた無数の本が樹木のように立ち並び、〝本の森〟と化している。そして時々、鷹央は足などを引っかけ、〝本の樹〟を崩すことがあった。僕はカーテンの隙間からかすかに光が漏れている窓を見つめる。

「うわっ！　やめろ！　だめだって！」

唐突に家の中から悲鳴のような声が聞こえた。聞き慣れた声、間違いなく鷹央のものだ。

次の瞬間、僕は考えるより先に走り出していた。家の正面に回り、数段の階段を駆け上ると、玄関の扉を勢いよく開ける。

「鷹央先生、大丈夫ですか⁉」

部屋の中を見渡す。予想どおり、積み上げられた本の山がいくつか崩れていた。そして、崩れて敷きつめられた本の絨毯《じゅうたん》の上に、手術着姿の鷹央が腹ばいに倒れている。

「うおっ、小鳥《ことり》⁉　なにしてるんだよ？」

倒れたまま、鷹央は顔を上げる。

「いや、悲鳴が聞こえたから。というか、先生こそなにしているんですか？」

「なにって、捕まえようとして……。それより早く扉を閉めろ。逃げたらどうするんだ」

「え？　逃げるって……」

「いいから、扉を閉めろ！」

「はあ……」

鷹央の剣幕に圧倒されつつ、僕は後ろ手に扉を閉めた。

「よし。これで逃げ場はない。小鳥、手伝え。捕まえるぞ」

鷹央はようやく立ち上がると、中腰になって辺りを見回しはじめる。

「あの……、さっきから逃げるとか、捕まえるとか、いったいなんの話……うおっ！」

足元をなにかが素早く通過し、僕は思わず声をあげてしまう。

「いたか⁉」

「な、なにか足元を……。そこの下にもぐり込みました」

僕は加速した心臓の鼓動を必死に抑えながら、部屋の中心に置かれたグランドピアノを指さす。

「よし、小鳥。私がこっちから追い立てるから、そっちで捕まえろ。すばしっこいから注意しろよ」

「ちょ、ちょっと待ってくださいよ。さっきのはなんなんですか？」

「いいから、黙って捕まえる準備をしておけ。嚙《か》まれないように気をつけろよ」

「噛むんですか⁉」

「うっさい、大声出すな。いくぞ、準備しろ」

鷹央はグランドピアノの下にその小さな体をもぐり込ませる。僕はしかたなく、顔を引きつらせながら反対側で腰を落とした。いったいなにが飛び出してくるんだ？　まさか、毒をもった生物じゃないだろうな？

普通ならそんなことあり得ないだろうが、問題は鷹央が『普通』ではないことだ。

「行ったぞ！」

鷹央の声が響いたと同時に、小さな影がピアノの下から飛び出してきた。僕は覚悟を決めると、その影を両手で包み込むように捕まえる。ぐにゃという柔らかい感触が手のひらに伝わってきた。

僕はおそるおそる、自分が捕まえたものを持ち上げる。

「青い……？」

大きな目で不思議そうに僕を見つめるその生物は、鮮やかな青色をしていた。挨拶でもするように、その生物は「にゃー」と一鳴きした。

青い……ネコ……？

僕は何度もまばたきしながら捕まえた生物を見る。外見は子猫に見えるが、その毛色は決してネコではあり得ない色をしていた。

「ドラえもん……？」

思わずその単語が口から滑り出る。

「ドラえもんじゃない、ハリー君だ」

ピアノの下から這《は》い出してきた鷹央が、胸を張りながら言う。

「ハリー君？」

「そうだ。さっき私が名前をつけたんだ。昨日見ていた映画にちなんでつけた」

「ハリー・ポッターですか？」

「いいや、ダーティハリーだ」

また渋い映画を……。

「いや、名前とかどうでもよくて、この子、なんなんですか？」

「なんなんですかって、どう見てもネコだろ。たぶん、まだ生後三、四ヶ月の子猫だろうな。足が短いから、種類はマンチカンかもしれない」

「いや、そういうことじゃなくて、なんでここにネコがいるんですか？」

「朝、病院の裏にある庭園で鳴いていたから拾ったんだよ。近くのペットショップからエサを取り寄せてやったら、凄《すご》い勢いで食べていたぞ。腹が減っていたんだろうな」

鷹央は近づいてくると、僕の手の中にいるネコの頭を人差し指で撫《な》でる。ネコは気持ちよさそうにゴロゴロと喉を鳴らし始めた。

「この色はなんですか？　こんな色に塗ったらかわいそうじゃないですか」

「私じゃないぞ！　私がそんな非常識なことするわけないだろ。拾ったときにすでにこの色だったんだよ」

まあ、『非常識』が服を着て歩いているような人だが、こんな虐待じみたことはしないか。結構動物好きだからな、この人。

「じゃあ、誰がこんなことを？」

「さあな、近所のガキとかじゃないか？　ひどいことするよな。それで、洗って色を落としてやろうとしたら、逃げて部屋の中を走り回りはじめたんだ」

鷹央は手を伸ばし、僕の手からネコを受け取る。ネコは鷹央の腕の中でだらりと脱力した。

ずいぶんなついているな……。

「ネコは水が嫌いですからね。それでこのネコ、どうするつもりですか？」

「どうするって、明日動物病院に連れていって、診察と予防接種をしてもらって……」

「いや、そういうことじゃなくて。まさか、飼うつもりじゃないでしょうね」

「え、飼うつもりだぞ。まだ小さいのに母猫とはぐれているんだぞ。このままだと死んじゃうかもしれないだろ」

「だめですよ！　ここは病院なんですよ。さすがにペットはまずいでしょ」

「『病院』という言葉の定義は、たしかに広義では病院の敷地内、すべてを指すこともあるが、狭義には建物のことを指す。つまり病院の屋上に置かれたこの家は、ある意味『病院外』とも言えるわけで……」

「それ、真鶴《まづる》さんにも言えますか？」

ぼそりとつぶやくと、ぺらぺらと詭弁《きべん》を並べ立てていた鷹央の表情が、露骨に引きつった。この天医会総合病院の事務長にして、鷹央の姉である天久真鶴は、この病院で唯一、鷹央が頭の上がらない、というか心の底から恐れている人物だ。

「ね、姉ちゃんには、そのうち……」

「飼うつもりなら、早めに報告してくださいよ。たぶん、だめって言われるでしょうけどね。週明けまでに言っていなかったら、僕から報告しますからね」

「お前、私を売るつもりか？」

鷹央はもともと大きな目を見開くと、僕からかばうようにネコを抱きしめる。苦しかったのか、ネコは「ギャッ」と声をあげて身をよじった。

「そりゃあ、あとでばれたら僕も共犯になりますからね。それに、中途半端に飼ったあと里親を探すことになったら、そのネコもかわいそうでしょ」
正論を返すと、鷹央は唇を尖らせ、「分かったよ……」とつぶやいた。
「では、僕はもう帰りますね。院内に逃げないようにちゃんと見張っていてください
よ」
鷹央一人にネコの世話をまかせるのは少し不安だったが、まあこれだけなついてい
る様子をみれば大丈夫だろう。さっさと家に帰って休むとしよう。
珍しく、この週末は予定が入っていない。久しぶりにだらだらと過ごす休日も悪く
ないだろう。
「それじゃあ小鳥。明日は午前九時にここ集合な」
扉の外に出かけた僕に、ネコを抱いたままの鷹央が声をかけてくる。
「……明日は土曜日だから休みですが」
「なに言ってるんだ。お前がいないと、この子を動物病院に連れていけないだろ。車
で二十分ぐらいの病院に午前十時に予約しておいたから、遅れるなよ」
鷹央の腕の中で子猫が「ニャー」と鳴いた。

## 2

「色、落ちなかったんですね」

動物病院の待合室、硬めのソファーに腰かけながら、僕はポータブルケージの中で丸くなるネコを覗《のぞ》き込む。鷹央がこのネコを拾った翌日の土曜日、僕は言われたとおりに、動物病院への足としてこき使われていた。

本当ならタクシーでも使えばいいのだろうが、病的なほど人見知りの鷹央にとって、初対面の人間と車内で過ごすのはなかなかつらいことらしい。なので病的なほどお人《ひと》好《よ》しの僕をこき使うことで、問題の解決を図っている。

まったくもって迷惑なことだ。

まあ、新車の慣らし運転だと思うか。僕は自分を無理やり納得させる。

数週間前にあった『火焔《かえん》の凶器事件』の際、愛車であるRX－8が全焼するという悲劇に見舞われた。そのため、新車としてマツダのSUVであるCX－8を購入したのだが、ちょうど数日前にそれが届いていた。

「水で洗ってみたけど落ちなかった。しかたないからこのまま連れてきた」

鷹央はケージを小さく開けると、ネコの頭を撫でる。ネコは迷惑そうに首を振った。

「けれどこれ、虐待しているとか疑われませんかね？」

「べつに疑われたってかまわないだろ。私が染めたわけじゃないんだから。ちゃんと事情を話せば誤解なんてすぐ解ける」

「はいはい。そう簡単にすめばいいですね。それにしても混んでいますね。早く終わらせて帰りたいのに」

　待合室を見渡すと、十匹を超えるイヌやネコ、そしてその飼い主が待機していた。鷹央がその情報収集能力を使って選んだ病院だけに、評判が良いのだろう。

「天久さん、どうぞー」

　扉が開き、看護師が鷹央を呼んだ。僕は両手で重そうにケージを持った鷹央とともに診察室の中に入っていく。べつに診察まで付き合う義務はないのだが、鷹央一人だとなにか変なことを口走りそうで心配なのだ。

「こんにちは天久さん。えっと、昨日子猫を拾ったんで、診察と予防接種をということですね」

　診察室に入ると、初老の獣医が前もって記入した問診票を眺めながら、柔らかい笑みを浮かべていた。

「そうだ。エサはキャットフードをふやかしたものをよく食べているし、排泄《はいせつ》も問題ないんだけど、とりあえず診察してもらおうと思って」

鷹央はそう言いながらケージを開け、中から真っ青な子猫を取り出す。獣医と看護師の目が丸くなる。

「いえ、べつに僕たちが青く塗ったわけではなくてですね……」

「……またですか」

慌てて釈明をはじめた僕を、獣医のため息まじりの言葉が遮《さえぎ》る。

「また？」

僕は反射的に聞き返した。

「ええ、この子でたしか、九匹目ですね。この二週間、こんな感じに色を塗られたネコがたくさん保護されてくるんですよ」

獣医は目を閉じると顔を左右に振る。となりに立つ看護師も口をへの字にしている。

「それって、青く塗られたネコがこの辺りにいっぱいいるってことですか？」

「いえ、青色とは限りません。えっと、あれ持ってきて」

獣医が指示をすると、看護師がわきに置かれたデスクの上から、一冊の薄いアルバムを持ってきた。看護師がそのアルバムを開いて渡した瞬間、僕の眉間《みけん》にしわが寄る。

アルバムの中にはネコの写真がいくつも入れられていた。それらのネコの色は赤、黄、緑などの派手な原色から、コバルトグリーンやサーモンピンクの淡い色など、そのどれもが決してネコ本来の毛色としてはあり得ないものだった。

「これ、全部ここで診察を受けたネコなのか？」

鷹央が大きな目をしばたたかせながら訊《たず》ねる。

「ええ、そうです。子供のいたずらなんですかねえ。すごい数なんですよ。うちだけじゃなくて、近所の動物病院にもたくさん運び込まれているみたいだから、もしかしたらもう五十匹超えているかもしれませんね。いたずらにしては規模が大きすぎて私たちも戸惑っているんです」

獣医はつぶやきながら、ネコの診察を始める。さすがに動物の扱いに慣れているだけあって、ネコはおとなしく診察を受けていた。

「警察に通報したりはしているんですか？」

僕が訊ねると、獣医はネコの後ろ足の関節を確認しながら口を開く。

「いえ、もしネコが怪我していたりすれば、虐待ということで通報するんですが、色を塗っただけではなんとも判断がしにくくて……。いまのところ近隣の獣医と連絡を取りながら様子を見ています。あまり続くようなら通報も考えますけど……」

獣医は聴診器で聴診をはじめる。僕は邪魔をしないように口をつぐんだ。

診察の間、鷹央はネコが暴れないように手を添えながら、心ここにあらずといった感じで空中を眺めていた。

やがて、鷹央の唇の端が、かすかに上がっていくのを見て、僕は小さくため息をつく。

　様々な色に染められた大量のネコ。その謎が鷹央の無限の好奇心をくすぐったのだろう。

　その小さな頭に、膨大な知識と常人離れした知能を内蔵している鷹央は、それらを発揮するシチュエーションを常に求めている。

　このまま行くと、また面倒なことに巻き込まれる予感がする。

「ところで、これまでのネコの毛はどうしたんですか？」

　なんとか鷹央の気をそらそうと、僕は一通り診察を終えた獣医に話しかけた。

「ああ、もちろん色を落とそうとしましたよ。ただなにか特殊な塗料を使っているみたいで、最初はなかなか大変だったんですよ。けれど先週から、このことを聞きつけたNPOの動物愛護団体が洗浄を引き受けてくれてね、そこならとってもきれいに落としてくれますよ。あとで連絡先をお教えしますね」

「NPO団体……ですか？」

「ええ、普段は捨て猫の里親とかを探す活動をしているらしいです。そこに預ければ、次の日にはきれいに色を落として返してくれますよ。もし、拾ったけど飼うのが難しいようなら、里親も探してくれるらしいです」

　それは至れり尽くせりだな。

「つまり、そこに行けば、これまで見つかった色のついたネコの情報があるんだな？」

それまで黙っていた鷹央が、興奮を孕《はら》んだ声をあげた。

しまった、興味をそらすつもりだったのに、やぶへびになってしまった。

「ええ、この辺りの動物病院は、こういうネコが来たらその団体に紹介するようにしていますから、情報ならそれなりにあるとは思いますけど……」

唇の端にだけ浮かんでいた鷹央の笑みが、顔全体へと広がっていく。

「よし、診察が終わったら、そこに行くぞ」

鷹央は両手でネコを持ち上げながら言った。


「……ここですか」

古ぼけたマンションの前で、僕は動物病院でもらった案内を確認する。

獣医の話ではここでネコの色を落としてくれるらしい。ポータブルケージを手にした鷹央と僕はマンションのエントランスを抜けると、一階にあるという指定された部屋へと向かった。

目的の部屋の表札には『ＮＰＯ法人　動物との未来を守る会』と記されていた。

センスのないネーミングだな。そんなことを思いながら、インターホンを押すと安っぽいチャイム音が響いた。すぐに足音が聞こえてきて、扉が開いていく。

「はい、どちら様でしょうか？」

中から顔を出したのは、人の良さそうな痩《や》せた中年女性だった。

「あ、すみません。動物病院からこちらを紹介されたんですが。拾ったネコがなんというか……」

「ああ、色を塗られたネコを拾われたんですね。どうぞお入りください」

女性は扉を大きく開き、僕たちを中に招き入れてくれる。

部屋の中に入った瞬間、鼻腔《びこう》に獣独特の匂いがかすめた。

「どうぞこちらへ」

女性にうながされ、僕と鷹央は廊下をすすんでリビングへと入る。そこはデスクと椅子が三セットほど置かれ、質素な事務所のような雰囲気だった。事務員なのか、三十歳ぐらいの女性が電話でなにやら話し込んでいる。デスクの奥には、大きめの金属ケージが五つ並んでいて、そのうちの三つにネコが入っていた。

頬が引きつってしまう。ケージの中にいるネコのうち一匹は黒猫だが、残りの二匹は普通ならあり得ない色をしていた。一匹はレモンのような鮮やかな黄色、そしてもう一匹に至っては赤と白でまだらになっている。

「おかけください」

紅白のネコに視線を引きつけられていると、女性が部屋の隅に置かれたソファーを勧めてくる。

「あそこにいるネコも、この辺りで保護されたのか?」

ソファーに腰かけ、膝にポータブルケージをのせた鷹央が、部屋の奥のケージを指さした。

「ええ、昨日と今日に保護された子たちです。三匹とも色を塗られているのでこれから洗うんです」

「三匹ともですか?」

僕は首をかしげる。たしかに二匹は洗って色を落としてやる必要があるだろうが、黒猫はべつに洗わなくてもよいのでは?

「ああ、あの黒い子も黒猫に見えますけど、実は真っ黒に塗られているんです。よく見ると、肌に近い部分の毛が少し白くなっているでしょ。あ、申し遅れました。私、この団体の東京支部の代表を務めています、安西《あんざい》と申します。よろしくお願いします」

安西と名乗った女性は、深々と礼をするとポケットから名刺をとりだし、差し出してくる。僕は慌てて立ち上がってその名刺を両手で受け取る。そんな僕のそばで、鷹央は名刺を差し出されたことに気づかないかのように、奥のケージの中にいるネコたちを眺めていた。

「東京支部ということは、本部があるんですか？」

僕は名刺を見ながら訊ねる。

「ええ、ここ以外に名古屋、大阪に支部があって、本部は埼玉にあります。普段は捨て猫、捨て犬を保護して里親を探す活動をメインに行っています。ただこの二週間は、ネコの色を落とすのが仕事になっていますけどね。あ、その中に入っているのが、保護されたネコちゃんですね。拝見してもいいですか？」

安西が声をかけてくるが、鷹央は奥のケージを無言で凝視したままだった。しかたなく、僕は肘《ひじ》で鷹央のわき腹をつつく。鷹央は水をかけられたネコのように、びくりと体を震わせる。

「うわっ、なんだよ？　え……？　ああ、ネコを見たいのか、いいぞ」

ようやく我に返った鷹央は、膝の上にのせていたケージを安西に渡す。安西はケージを開けると、青いネコを慣れた手つきで中から出し、観察しだした。

「この子は青く塗られちゃったんですね。生後三、四ヶ月で性別は……オスね。足が短いからマンチカンの血が入っているのかも」

つぶやきながら一通り観察した安西は、ネコを抱いたまま鷹央に視線を向ける。

「よろしければ、一日こちらでお預かりして、毛についた色を落とさせてもらいますけど、どうしますか？　特殊な染料で染められているみたいで、この汚れ、普通の石《せっ》鹸《けん》じゃ落とせないんです。動物にも無害な洗剤を何種類か組み合わせて洗って、なんとか落としています」

「一日預けないといけないのか……」

安西の説明を聞いた鷹央は渋い表情をつくる。

「先生、そうしましょうよ。その変な色を落としてあげないと、そのネコもかわいそうでしょ」

僕がうながすと、鷹央は唇を尖らし「……分かった」と頷《うなず》いた。よし、これで僕の仕事はおわりだ。さっさと帰って……。

「そのかわり、明日の午前中にここに迎えに来るから、お前が車だせよ」

「……マジですか？」

どうやら、僕の週末は鷹央の運転手で終わるらしい。

「それじゃあ、この子は一晩お預かりしますね。もし飼うのが難しい場合は、こちらで里親の募集をかけることも可能なんですが、それはよろしいですか？」

ネコを抱いたまま立ち上がった安西が言う。

「頼んだ方が良いんじゃないですか？」

僕が囁《ささや》くと、鷹央は険しい目つきで睨《にら》みつけてきた。

「里親はいらない。私がちゃんと引き取るから」

「そうですか、分かりました」

安西は頷き、ネコを部屋の奥にある空いていたケージに入れた。ケージに入ったネコは最初落ち着きなくうろうろとしていたが、すぐに中におかれた毛布の上で丸くなった。なかなかに肝のすわったネコだ。

「それじゃあ、明日までにきれいにしておきますね。引き取りは明日の午前中でよろしいですか？　あと、お帰りになる前に書類にお名前と連絡先、それとこの子を拾ったときの場所と時間のご記入をお願いいたします」

安西は書類を鷹央に手渡す。しかし、鷹央がこれでおとなしく帰るはずがなかった。鷹央にとってネコの色を落としてもらうことは、ここに来た目的の半分でしかない。

案の定、鷹央は書類を「書いておけ」と僕に押しつけると、安西にずいっと近づき、その顔をのぞき込んだ。

「あ、あの、なにか？」

小柄な鷹央に下から凝視され、安西は軽くのけぞる。

「ここには、変な色に染められたネコがたくさん運び込まれているんだな？」

「ええ。ここで色を落とせることを周辺の動物病院さんに伝えていますから。多い日だと、一日五匹以上運び込まれてくる日もありますね」

「今は私のネコを入れて四匹しかいないけど、ほかのネコはどうしたんだ？」

「拾った方が育てる場合は、色が落ちたらその方に返します。里親を探すことを希望される場合は、埼玉にある本部に搬送して、そこで保護しながら里親が見つかるのを待つことになりますね。本当ならここで保護できればいいんですけど、見ての通り手狭なものでして」

安西は悲しげに首を左右に振った。

「それでこれまで何匹ぐらい、色のついたネコは運びこまれてきているんだ？」

「あなたのネコでたしか……六十四匹目ですね」

「六十四匹もか。どこでどんなネコが保護されたのかデータはとっていないのか？」

鷹央は興奮気味に質問を重ねていく。

「え、ええ。ちゃんとまとめてありますよ。誰がこんな馬鹿なことをやったのか調べる手がかりになるかと思ったんで……」

「ぜひ見せてくれ！」

鷹央は身を乗り出し、安西は一歩後ずさった。

「かまいませんけど……」

安西は後ろを振り返り、いつの間にか通話を終えていた事務員らしい女性に目配せする。女性は軽く頷くと席を立ち、すぐそばにあるふすまを開いた。その奥にはペット用のエサやトイレのシート、猫砂など、動物の世話に必要な物が置かれた六畳ほどの和室が広がり、壁には東久留米市を中心に周辺の市が載っている巨大な地図が貼られていた。

「これが、ネコが保護された場所と、そのネコの写真です」

部屋へと入った安西が地図を指しながら言う。僕と鷹央も和室へと入って地図を眺めはじめた。地図の至るところに、不自然な色に染め上げられたネコの写真が貼られている。この地図を見ると、いかに多くのネコがこのいたずらの犠牲になっているかが実感できた。

……いや、これは本当にいたずらなのだろうか？　この団体が把握しているだけで、これだけの量なのだ。実際に色を塗られたネコは百匹は超えているだろう。百匹以上のネコに色を塗る。それは愉快犯が一人でやれるようなことだとは思えなかった。いったい誰が、どんな目的でこんなことをしているのだろうか？

「誰がこんなことを……？」疑問が思わず口をつく。

「私も長くこの活動をしていますけど、こんなことは初めてです」

安西は軽く唇を嚙む。

「そもそも、こんなにたくさんのネコ、どこから？」

「たぶん、近所の野良ネコを罠《わな》かなにかで捕まえて、色を塗っているんだと思います。運ばれてくるネコの大部分は雑種ですから。この辺りには結構野良ネコがいるんですよ。普段はそんなに気にもとめられないんですけど……」

「今回はおかしな色に塗られているから、目立って保護されることが多いというわけですか」

僕は安西の言葉のあとを続ける。安西は「そうです」と頷いた。

僕と安西が話している間、鷹央はその大きな目を見開いて、様々な色のネコの写真が貼られた巨大な地図を凝視していた。

僕も改めて地図に視線を向ける。天医会総合病院から三キロほどの距離にある久留米池公園。全周二キロを超える巨大な池をとり囲むように広大な林が広がるその場所に、十数枚の写真が集中していた。

公園から遠ざかるにつれ、写真はまばらになっている。病院の周辺では三匹ほど保護されているようだ。

「これを見ると、久留米池公園で色をつけたネコを放しているみたいですね」

僕がつぶやくと、隣にいた鷹央は「そんな分かりきったこと言うんじゃない」とでも言うように僕を軽く睨んだ。

はいはい、黙ればいいんでしょ。僕は口をつぐんで再び地図を見直す。目が痛くなるほど鮮やかな色に染め上げられたネコの写真は至るところに貼られ、その色は千差万別でまったく統一がとれていなかった。

……暗号。その言葉が頭をかすめる。もしかしたら、誰かがネコに色を塗ることで連絡を取り合っているのではないか？

しかし、頭の中で膨らんだアイデアはすぐに塩をかけられたナメクジのようにしぼんでいく。ほとんどの者がスマートフォンを持ち、簡単に連絡を取り合える時代に、そんな面倒なことをする必要がどこにあるというんだ。

「あの、もしよかったら、この写真のデータをメールに添付してお送りしましょうか？　近々ホームページに公開して情報を呼びかけるつもりですので」

彫像と化したかのように直立不動で地図を眺め続ける鷹央を見て、安西が提案する。

鷹央はようやく視線を地図から引きはがした。

「いや、必要ない。もう覚えたから。あとは家に帰ってから考える」

「覚えたって……」

安西は戸惑いの表情を浮かべる。当然だろう。こんなに大量のネコの写真が貼られた地図を『覚える』ことなど、普通の人間には不可能だ。しかし、鷹央は『普通』ではない。一度目にしたものは、脳内で写真を見るかのように画像として思い出すことができる『映像記憶』という能力を持っているのだ。

首をかしげる安西を尻目に、鷹央は回れ右をするとすたすたと和室から出て、中で青いネコが丸まっているケージの前に立った。

「それじゃあ、明日迎えに来るからな。きれいにしてもらえよ」

鷹央に話しかけられたネコは面倒そうに片目を開けると、大きくあくびをした。

3

「それで、なにか分かったんですか？」

新車のCX－8のハンドルを握りながら、僕は助手席に座る鷹央に話しかける。NPO団体に青いネコを預けた翌日、僕はネコを受け取りに行く鷹央の運転手としてこき使われていた。

「ん？　なんの話だ？」

助手席で鷹央は不思議そうに首をかたむける。

「なんの話って、ネコですよ、色を塗られたネコ。誰がなんであんなことしたのか、考えているんでしょ」

「んー。なんのことだ」

鷹央は露骨に興味なさげな口調で言う。しかし、横目で視線を向けると、鷹央の口角が上がっていた。

楽しそうだこと。一年に及ぶこの変人上司との付き合いで、鷹央がこういう態度をとっているときは、その超高性能の頭で謎と格闘しているときだと知っている。しかし、鷹央は完全に謎を解き終えるまで、決して説明をしようとはしない。

説明が苦手だからと言っているが、時々、見当違いのことを考えている僕を見て楽しんでいるんじゃないかと思う時もある。

「もしかしたら、暗号かなにかですかね。例えばですね……麻薬の取引をしていて、どこの位置に何色のネコをおくかで、取引の場所と時間を……」

僕のセリフは、助手席から上がったわざとらしいため息にかき消される。

「本気で言っているのか、お前？　ネコは置物じゃない、素早く動きまわるんだぞ。こんな携帯電話でもメールでも簡単に連絡が取り合える時代に、なんでわざわざそんなレトロで効率の悪い暗号なんて使うんだよ。ちょっとは頭を使えよ。頭の中にブルーチーズでも詰めているのか」

「ブ、ブルーチーズ……⁉」

分かっている。分かっていたうえでちょっと話を振ってみただけじゃないか。

それなのに、言うに事欠いてブルーチーズ？　それはあれか？　僕の脳に青カビが生えているとでも言いたいのか？

なんで僕は貴重な休日を鷹央のお守りに費やしたうえに、こんな屈辱的なことを言われなくちゃならないんだろうか？　急速に機嫌が悪くなった僕は、見通しの良い交差点を、速度を落とすことなく左折する。

横からのGで小さな体が傾いた鷹央の口から、「ふわぁあ」と気の抜けた悲鳴が聞こえてくる。

ほんの少しだけ気が晴れた。


「元気にしていたかぁ」

『動物との未来を守る会』の部屋に入った鷹央は、迎え入れてくれた安西への挨拶もそこそこに、ネコの入っているケージに駆けよった。ケージの中のネコは、まるで返事をするように「ニャッ」と短く鳴いた。

昨日まで真っ青だったネコの毛色は、今日はクリーム色の縞模様《しま》になっていた。それだけでだいぶ外見からうける雰囲気が変わる。よくよく見ると、なかなかに器量よしのネコだ。

「そうか、お前、本当はレッドタビーだったのか」

鷹央はケージ越しにネコの頭を撫でる。

「レッドタビー?」それが種類だろうか?

「毛の色のことですよ。少し赤みを帯びた縞模様を『レッドタビー』って呼ぶんです」

笑顔で安西が説明してくれる。その間に鷹央はケージを開け、手を伸ばしてネコを抱き上げていた。ネコはどこか迷惑そうながらも、鷹央の腕の中でおとなしくしている。

「それじゃあ、一応受け取りの書類にサインをしていただいてよろしいでしょうか？それが終われば、その子を連れて帰ってもらってかまいません。大切にしてくださいね」

「ああ、もちろんだ」

鷹央はネコをポータブルケージに入れると、安西が差し出したペンを受け取り、デスクに置かれた書類に苦痛でのたうち回るヘビのようなサインを書いていく。相変わらずの悪筆だ。

「あと、よろしければこのパンフレットもお持ちください。私たちの活動内容が書かれていますので。募金などもご検討いただけたら嬉《うれ》しいです」

そう言って、安西はどこか申し訳なさげに、パンフレットを僕と鷹央に渡してくる。安西の後ろで女性事務員がぺこりと頭を下げた。

このような非営利団体だと、職員の給料などの活動費を捻出するのも大変なのだろう。募金でなんとか細々と活動を維持しているのかもしれない。

「ああ、あとで読ませてもらう。ところで残っているのはあの黒猫だけなのか？」

鷹央はケージの中で香箱座りしている黒猫を指さす。鷹央の言うとおり、昨日いた黄色と紅白のネコが入っていたケージは空になっていた。

「ええ、あの二匹は里親を募集することになっているんで、今朝早く埼玉の本部に搬送しました。そこの子は午後に見つけた方が引き取りにくる予定ですね」

僕はなんとなしに黒猫の入っているケージをのぞき込む。そのネコは、鷹央が抱いているネコに比べ二回りほど大きかった。よく見ると毛の根元辺りが白っぽく染まっていて、このネコがもともとは黒猫ではなく、黒く色を塗られているということが確認できた。

黒（く塗られた）猫は目を開けると、睨みつけるように僕を見てくる。その迫力に、僕はケージから反射的に距離を取った。しかし、鷹央は目を大きく見開いて、にらめっこでもするかのように、その黒猫を見つめていた。

さて、ここに来た目的は果たしたのだから、さっさと帰ろう。僕が鷹央を促して帰ろうとすると、唐突に鷹央が「あれ⁉」と甲高《かんだか》い声をあげた。

「なんですか？」

安西は目をしばたたかせる。鷹央は「それはどうしたんだ？」と安西の左の腕を指さした。そこには数センチ、二本の赤い腫《は》れが走っていた。

「あ、これですか。いつのまにか引《ひ》っ搔《か》かれていたみたいで。もう何日も前のことですけど。まあ、こういう活動をしているとよくあることですよ」

「ああ、普通のネコに引っ掻かれただけか。なら大丈夫か。私の見間違いだな、たぶん……」

鷹央は独り言のようにぶつぶつとつぶやく。

「あの、見間違いって、いったいどういうことですか？」

安西はどこか不安げにたずねた。

「いや、私は近所の病院で医者をやっていてな、天医会総合病院ってとこだ。知っているか？」

「はあ、天医会病院なら知っていますけど……、お医者さん？」

安西はまじまじと鷹央の顔を見る。これは鷹央が医者だと知らされた際の一般的な反応だった。ときには中学生に間違われることもある小柄で童顔の鷹央が医者だとは、多くの者はすぐに受け入れられない。

「そうですか……、お医者さんなんですか。それでこの引っ掻き傷がなにか？」

「いや、その傷が、海外に留学しているときに見たアンディ・ロビンソン病患者の傷に似ている気がしたんだ。最近海外に行ったりしていないよな？」

「アンディ？　え、海外ですか？　いえ、この二、三年は行っていませんけど」

「ああ、なら安心だ。日本で感染することはまずあり得ないからな。へんなこと言って悪かったな。それじゃあ小鳥、帰るぞ」

「あの、ちょっと待ってください。そのアンディなんとかって、いったい何なんですか？」

自分のネコを収めたポータブルケージを両手で持って、玄関に向かおうとした鷹央を、安西が呼び止める。

「ああ、医療関係者じゃないと知らないよな。かなり珍しい病気なうえ、日本ではほとんど発生しないからな。おい小鳥、アンディ・ロビンソン病について説明してやれ」

鷹央は僕に向かってあごをしゃくる。

「え、え……ええ？」

唐突に指名された僕は言葉に詰まる。アンディ・ロビンソン病？　そんな疾患はこれまで聞いたことがなかった。いや、もしかしたら医学生時代に教科書の隅にでも書かれていたのかもしれないが、少なくとも僕の頭のなかにはその疾患についての知識はかけらも存在しない。

黙りこんでしまった僕を見て、鷹央の視線の湿度が上がっていく。

「お前、まさかアンディ・ロビンソン病を知らないなんて言い出さないよな」

「いえ、あの……すいません」

「アンディ・ロビンソン病は人畜共通感染症で、原因ウイルスであるロビンソンウイルスを持つネコ科の動物に、嚙まれたり引っ掻かれたりすることで人間に感染する。人間の体内に入ったロビンソンウイルスは、増殖していき、十日前後でアンディ・ロビンソン病を発症させる。最初の症状としては、感染の原因となった傷の周りが赤くなり、さらにリンパ節の腫脹《しゅちょう》、微熱、倦怠感《けんたいかん》などが生じる。これが初期症状だ。この時点で血清を打てば治療することができるが、この時期を逃すと手遅れになる」

鷹央は声を低くすると、もったいつけるかのように言葉を切る。

「……手遅れって、……どうなるんですか」

緊張感に耐えきれなくなったのか、安西が先を促した。

「言葉どおり『手遅れ』だよ。初期の段階で血清が投与されなかった場合、致死率は百パーセントだ。絶対に助かることはない。ウイルスが神経を侵しはじめると、全身を耐えがたい激痛が襲うようになる。さらに筋肉が硬直し、多くの場合は四肢の関節が筋肉の力に耐えきれずに脱臼《だっきゅう》を起こす。患者の中にはこの時期の痛みに耐えきれず、ショック死する者もいる。そして痛みで死ななかった患者はさらに悲惨な状態になる。ウイルスは次第に神経を伝って脳に到達するんだ。すると患者は恐ろしい幻覚を見るようになり、一日中暴れて奇声を上げ続ける。そしてその状態が数週間続くと、ウイルスによって脳細胞が崩壊しはじめ、耳や鼻から溶けた脳細胞が染み出してくる。かなり壮絶な光景だぞ。そんな悲惨な状況が数週間続いてようやく患者は苦痛から解放される。つまりは……死ぬんだ」

鷹央は陰鬱《いんうつ》な口調で説明を終える。部屋の中に重い沈黙がおりた。

「私が……その病気の可能性があるっていうんですか？」

安西の震える声が沈黙を破った。鷹央は笑顔を見せると、ぱたぱたと手を振る。

「ああ、なんか脅かしてしまったみたいだな。悪い悪い。さっき言ったように、海外に行っていないなら大丈夫だ。ネコ科の動物の中でもロビンソンウイルスは、ごく限られた種類にしか感染することができない。もちろん日本にいるイエネコには感染しない。日本にいる動物の中でロビンソンウイルスに感染する種類はいないんだ。まあ、動物園の飼育員でもないかぎり心配いらないよ。そう言えば昔、一回だけロビンソンウイルスに感染した飼育員がうちの病院に駆け込んできたことがあったな。この辺りじゃあ、うちの病院ぐらいしか血清を保管していないからな。そいつはなんとか助かったはずだ」

そこまで言うと鷹央は視線を上げ、「話が長くなってしまったな」とつぶやいて、すたすたと玄関へと向かう。鷹央の説明でとりあえず安心したのか、安西が呼び止めることはなかった。

「それじゃあお世話になった。ありがとう」

鷹央は片手を上げると扉を開け、その奥へと消えていった。

「あ、お騒がせして申し訳ありませんでした。このたびは本当にお世話になりました。後日改めてお礼に参ります」

僕は鷹央に代わって深々と頭を下げて礼を言う。安西は「はぁ」と気の抜けた返事をするだけだった。僕はもう一度頭を下げると、鷹央のあとを追って部屋を出た。

「うおっ！」

部屋の外に出ると、とっくに駐車場へと向かっていると思っていた鷹央が待ち構えていた。ぶつかりそうになり、思わず声を上げてしまう。

「小鳥、お前たしか今日、夕方から救急部で当直だったよな？」

「はあ、そうですけど、それがなにか？」

「ちょっと頼みたいことがあるんだ。耳を貸せ」

鷹央は背伸びして、僕の耳になにか囁こうとするが、それだけで身長百八十センチ近い僕と、百五十センチに満たない鷹央の差が埋まるはずもなかった。鷹央は僕のジャケットの襟をつかむと、強引に引きつけて僕の耳の位置を下げようとする。

「ああ、やめてくださいよ。このジャケット高かったんだから」

慌ててしゃがみながら、ネコに向ける優しさの十分の一でも部下に向けてくれないものかと僕は考えるのだった。

# 4

「小鳥遊先生、います？」

救急控え室の扉が開き、看護師が顔を出す。ソファーに横になって分厚い医学書に目を通していた僕は、顔を上げ壁時計に視線を向ける。時刻は午前一時を少し回ったところだった。ついさっきまでたて続けに救急搬送があり目が回るほど忙しかったが、この三十分ほどは患者も途絶えて落ち着いていた。

「来ましたよ」

「来たってだれが？」

「だから、さっき言ってたじゃないですか、ネコに引っ掻かれて、アンディなんとか病になったっていう患者さん」

「え、本当に来たの？」

僕はソファーから上体を起こす。

「なに言っているんですか、自分で言い出しておいて。先生が診てくれるんですよね。三番診察室に入ってもらいましたから、よろしくお願いしますね」

看護師が控え室から出ていく。しかたなく、僕は医学書をソファーの上に置いて立ち上がった。

細かい字を追っていたためしょぼしょぼする目をこすりながら、控え室から救急外来へと出ると、僕は横並びに五室ある救急診察室の真ん中の部屋の扉を開けた。

「助けてください！」

正面から飛んできた叫び声に、思わずのけぞってしまう。診察室には十数時間前に会った、鷹央のネコを洗ってくれた団体の代表、安西が青ざめた顔を引きつらせていた。診察用の椅子に腰掛けた安西は血走った目を向けてくる。

「あの、えっと、安西さん……でしたよね？」

「そうです、助けてください！　早く、今すぐに！」

安西は立ち上がると、ホラー映画に出てくるゾンビさながらに、僕に向けて両手を伸ばしてくる。

「あの、落ち着いてください。どういうことですか？　最初から話してください」

僕は少々腰が引けながら、必死に安西を落ち着かせようとする。安西は荒い息の合間をぬって話しはじめた。

「血清です、血清を打って！　あの小さい女の先生が言っていた病気の」

「え、けれどあの病気は日本ではかからないって……」

「そんなこと分からないでしょ！　私は仕事で色々な動物と接触しているんだから！

お願いだから早く！」

　安西はつばを飛ばしながら大声で叫ぶ。

「分かりました。分かりました。とりあえず天久先生に連絡してみます。彼女が血清の保管責任者みたいですから」

　僕が顔をぬぐいながら言うと、安西はこくこくとせわしなく頷いた。

　十数時間前、ネコを受け取って安西のマンションを出た鷹央は僕に言っていた。

「もし安西が血清を打って欲しいとか言ってきたらお前が診て、私に知らせろよ。血清は私が個人的に持っているから」と。

　僕はため息をかみ殺しながら、院内携帯を救急部のユニフォームである青いスクラブのポケットから取り出すと、鷹央の〝家〟に置いてある内線電話の番号を打ち込んでいく。

『来たか！』

　コール音が鳴る前に回線が繋がった。まるで、電話が鳴るのを待ち構えていたかのように。

「え？　あの……」

『来たかって聞いているんだ』

「いえ、あの来たかって……、えっとですね、さっき会った……」

『あの安西っていう女だろ。あいつが来たんだろ？』

「え、ええ。そうですけど……」

『あの女が血清を打って欲しいって来ているんだな？』

いまにも歌い出しそうなほど楽しげな声が、受話器から響いてくる。

「は、はあ。そうですけど、あの、どうすれば……？」

『ちょっと待っていてもらえ。そうだな……三十分ぐらいか。その間に血清を用意するからって伝えろ。それじゃああとでな』

その言葉を最後にぶつりと回線が切れる。ピーピーという気の抜けた電子音を響かせる携帯を眺めながら僕は首をひねるのだった。


「おう、待たせたな」

内線電話を切ってから約三十分後、若草色の手術着のうえに白衣を纏《まと》ったいつもどおりの格好の鷹央が、片手を上げながら救急部の経過観察室にやってきた。

「……本当に待ちましたよ」

僕は頭を掻きながら固いソファーから腰を上げる。三十分前、通話を終えた僕は「早く！　早く血清を！」と叫ぶ安西を、「いま取り寄せています。三十分で来ますから」と必死になだめて、なんとか診察室の裏手にある、この経過観察室まで避難していた。

「それで、あの女はどこにいる？」

鷹央はその二重の大きな目を、いつも以上に大きくしながら言う。

「第三診察室で待たせていますよ。……それが例の血清ですか？」

第三診察室の扉を指さしながら、僕は鷹央の左手に視線を落とす。そこには小さなガラス製のアンプルが握られていた。

「ん、これか。ふふふふふ……」

鷹央は顔の前でアンプルを振りながら、なにやら気味の悪い忍び笑いをもらす。アンプルの中で透明な液体が揺れるのを見ながら、僕は思わず身を引いてしまう。

鷹央がここまで楽しげなことは本当に珍しい。いったいなにがこんなに鷹央を上機嫌にさせているのだろう？　もしかしたら、日本ではほとんど見ないような珍しい症例を見つけて興奮しているのだろうか？

「やっぱりあの人は、先生が言っていたアンディなんとか病なんですか？」

「アンディ・ロビンソン病か？　さあ、どうだろうな。そうだったら面白いな」

治療が遅れれば致死率百パーセントの疾患だったら面白い？　あまりにも不謹慎な言動に顔が引きつってしまう。

僕の表情の変化など気にするそぶりも見せず、鷹央はすたすたと診察室に向かっていく。僕は渋い顔をつくったまま、その小さな背中を追った。

「血清はあったんですか⁉」

鷹央が扉を開けはじめた瞬間、その隙間から金切り声が飛び出してきた。音に敏感な鷹央は顔をしかめると、立ち上がって近づいてきた安西の目の前でアンプルを振る。

「血清ってこれのことか？」

「それですね！　それを打てば大丈夫なんですね！　お願いです、早く打ってください」

「分かった、分かった、落ち着けよ。とりあえず話を聞くから座ってくれ」

鷹央は診察用の椅子に腰掛けながら、安西に患者用の椅子をすすめる。安西はしぶしぶといった感じで、丸椅子に腰をおろした。

「それで、アンディ・ロビンソン病の血清を打って欲しいってことだったな」

鷹央はデスクの上にアンプルを置く。安西はそのアンプルに視線を奪われながら、かすかに震える唇を開いた。

「そうです！　教えてもらった初期症状が全部当てはまって……。この引っ掻かれた傷だって、その病気っぽいんでしょ？　い、いまのうちに血清打てば治るって……、けれど、インターネットで調べても、どこにも載っていなくて。だからここに……」

安西は息も絶え絶えに喋りはじめる。

「ああ、日本ではほとんど発症したことがない疾患だから、英語サイトじゃないと出てこないだろうな。けど大丈夫だ。安心しろ」

鷹央は安西に向けて笑顔を見せる。それにつられるように安西の顔にも弱々しい笑みが浮かぶ。しかし、鷹央の次の一言を聞いて、安西の笑みは一瞬で消え去った。

「お前のかかっている病気はアンディ・ロビンソン病じゃない。家に帰ってゆっくり休んでいれば、そのうち治るさ」

「ちょ、ちょっと待ってくださいよ！　それじゃあ、血清は……」

「ああ、この血清か。打つ必要はないな。これはとても貴重なものだ。関東ではこの病院にしかないかもしれない。だから、アンディ・ロビンソン病にかかっていない患者に打つことはできないんだ」

鷹央はデスクの上に置かれていたアンプルを摘《つま》むと、見せつけるかのようにゆっくりと白衣のポケットへと入れた。

「なんで！　だってあなたの言っていた初期症状に、私の症状は全部当てはまっていて……」

「ああ、普通の風邪でもリンパ節が腫れたり、熱が出たりはするからな。きっと、ネコの色を落とすのに忙しすぎて風邪をひいたんだろ。一応風邪薬を処方しておこうか？」

「そんな。絶対にそのアンディなんとか病じゃないとは言えないでしょ、お願いだから血清を……」

「いや、絶対に違う」

鷹央は安西に向き直ると、正面からその目をのぞき込んだ。安西はその迫力に口をつぐむ。

「今日の午前中に説明したとおり、アンディ・ロビンソン病の原因ウイルスは、ごく限られた種類のネコ科の動物でしか検出されず、その中に日本に生息する種類はいない。しかも、それらの動物はほとんどが絶滅に瀕《ひん》しているんだ。日本には動物園にもウイルスの宿主になるような動物はほとんどいないはずだ。というわけで、お前がロビンソンウイルスに感染している可能性はない。その症状はきっと風邪だよ。よかったな、もし本当にアンディ・ロビンソン病に感染していたら、これから地獄絵図だったぞ」

鷹央はどこか楽しげに言うと、「それじゃあ、風邪薬を……」とつぶやいて、電子カルテのキーボードを打ちはじめた。安西は「はぁ……」と力なく俯《うつむ》いた。

ふと僕は体を丸くして俯いている安西の肩が、細かく震えていることに気づいた。安西はゆっくりと顔を上げて、処方を打ち込んでいる鷹央を見ると、ぱくぱくと酸素不足の金魚のように口を動かす。唇の隙間から弱々しい声がもれ出す。

「み……みつ……」

キーボードを打っていた指の動きを止めると、鷹央は横目で安西をうかがう。

「ん？　なんか言ったか？　よく聞こえなかった。もう一度言ってくれ」

鷹央は挑発するかのように、耳に手をかざして安西の口元に近づけていく。安西は膝のうえで拳をつくる。よほど強く力を込めているのか、その拳がぶるぶると震え出した。震えは拳から、腕、そして体幹へと広がっていく。安西の口から、奥歯が軋《きし》むぎりりという音が響いた。

「密輸したの！」

吐き出された安西の絶叫が、診察室の壁を震わせた。

「ん、密輸？　なるほど密輸か。……つまり、ロビンソンウイルスを保菌するような珍しいネコ科の動物を密輸していたってことか？　ワシントン条約で取引が禁止されているような」

「そう！　そうなの！　東南アジアから珍しい種類の動物を密輸して、それを金持ちのマニアに売りさばいていたの。特にネコ科の動物を！　だから……、だから血清を……」

そこまで言うと、全身の力が抜けたのか背もたれに力なく体重をかけ、手をだらりと下げる。

密輪？　予想外の展開に僕は口を半開きにして状況を見守ることしかできなかった。

「なるほど、動物愛護のＮＰＯ団体を隠れミノにして、動物の密輪に手を染めていたっていうわけか。ということは……」

鷹央は顔を紅潮させている安西を見ながら、にやりと唇の端を上げる。

「ネコをおかしな色に塗っていたのはお前たちだな」

ネコをおかしな色に？　意味が分からず、僕は安西を見る。安西は否定も肯定もせず、魂が抜けたかのように虚空を見つめていた。

この人がネコをおかしな色に染めていた犯人？

「あの、えっと、……それってどういうことですか？」

勝ち誇るように胸を反《そ》らす鷹央に、僕はおずおずと訊ねる。鷹央はフクロウのように素早く、ぐるりと首を回して僕を見る。

「ここまで言っても分からないのか？」

「いえ……それは……」

そんなこと言われても、密輪と色が塗られたネコにいったいどんな関連があるのか、いまのやり取りだけで分かるわけがない。

鷹央はこれ見よがしにため息をつくと、左手の人差し指を立てる。

「おかしなカラーリングをされたネコが発見されるようになったのは二週間ほど前か

らだ。その頃、この辺りで結構大きな事件があっただろ？」

「事件……ですか？」

鷹央がなんのことを言っているのか、僕には見当もつかなかった。

「事件、というより事故かな。十台以上の車が巻き込まれた交通事故だ」

「え？　あの事故ですか？」

意外な答えに僕はまばたきをする。たしかに二週間ほど前に近くの国道で大きな事故があり、この救急部にも大勢の怪我人が運び込まれてきた。

けれど、事故と密輸、そしてネコに色が塗られた事件。それらにどんな関連があるというのだろう？

「たぶん、その事故に巻き込まれた車の中に、密輸した動物を運んでいたトラックかバンがあったんじゃないか。そして、事故のせいで車に積んでいた檻《おり》が壊れ、中にいた動物が逃げ出してしまった。違うか？」

安西は焦点を失った目で鷹央を見るが、なにも言わなかった。鷹央は気にせずに説明を続ける。

「事故現場の近くには、巨大でしかも深い林が広がっている久留米池公園がある。あそこに逃げ込まれては、そう簡単には捕まらない。せっかく苦労して密輸した高価な動物で、しかも下手に見つかったら日本にいるわけがない動物だけに、密輸の件があかるみに出るかもしれない。そこで密輸に関わっていた奴らはとある行動に出た」

「野良ネコに色を塗って久留米池公園に放ったんですか？」

話の流れからはおそらくそういうことなんだろう。しかし、なぜそんなことをするのかはまったく見当もつかなかった。

「ああ、そうだ。これでなんでネコに色が塗られたか分かっただろ？」

「いえ……全然」

僕はためらいがちに言った。僕を見る鷹央の視線の湿度が上がる。

「お前なあ、ここまで言っても分からないのかよ。いいか、こいつ等《ら》は貴重なネコ科の動物を密輸していた。どうやってだと思う？」

「どうやってって言われても……」

「外国から運んできた動物を国内に入れるには、基本的には税関を通さないといけない。そのためには、その動物が輸入可能な生物だと思わせる必要がある。さて、どうする？」

鷹央は僕の目を真《ま》っ直《す》ぐに見てくる。その視線に圧倒されながら、僕はおそるおそる口を開いた。

「えっと……血統書とかの書類を偽造するとか」

「それは当然しただろうな。けれど、いくら書類が揃《そろ》っていても、普通のネコの書類で虎《とら》は輸入できないだろ。つまり、外見を輸入可能な生物に見せる必要があるんだ」

「もしかして、そのために色を……」

「ああ、たぶんそうだ。ワシントン条約で取引が禁止されているネコ科の動物の中には、模様が特徴的だが、それ以外の外見は普通のイエネコと変わりない種類がいる。例えば……マーブルキャットとか」

鷹央がその単語を口にした瞬間、安西の体が細かく揺れた。それを見て、鷹央は唇の両端を上げる。

「正解だったみたいだな。マーブルキャットは大理石に似た模様が特徴の、東南アジアの熱帯雨林などに生息するネコ科の動物だ。ネコ亜科に属してその体の大きさはイエネコと大きく変わりない。生息数は少なく、絶滅の危険性があるっていうことで、商業取引が厳しく禁じられているが、その分、裏市場では高値で取引されている。お前たちはマーブルキャットに色を塗って普通のイエネコに見せかけ密輸した。おそらくは真っ黒に塗って、黒猫にしてな。そのマーブルキャットが二週間前の事故で逃げ出してしまった。焦ったお前たちは対応に頭を絞る。そうして思いついたのが、野良ネコを捕まえて、片っ端から派手な色にカラーリングすることだ」

気持ちよさそうに説明していた鷹央は、そこで言葉を切ると安西に視線を向ける。

安西は唇を噛むと、かすかに、注意しなければ気づかないほどかすかにあごを引いて頷いた。それを見て満足げな表情を浮かべると鷹央は話を再開する。

「自然にはあり得ない色をしたネコがうろうろしていれば、当然虐待を疑われて保護される。しかも、一匹や二匹じゃなく、何十匹も発見されようものなら大きな騒ぎになる。そこにお前らは善意の第三者として現れ、ネコの色を落とし、場合によっては里親を見つけると申し出たんだ。そうすれば、逃げたマーブルキャットも保護されて自分たちのもとに運ばれてくるんじゃないかと思ってな」

鷹央は朗々と説明を続ける。

「近所で大々的に保護活動を行っている団体があれば、一帯で保護されたネコは色が塗られているか否かにかかわらず、大部分が自分たちのところに運ばれてくるという計算だろうな。それに獣医にしっかりと見られれば、あの黒猫も色が塗られていることに気づかれるだろう。その際に、他にも色が塗られたネコが周囲で見つかっていれば、不審に思われず、詳しく調べられることもないと考えたんだろうな。そして、思惑どおりにマーブルキャットは運びこまれてきた。ケージにいた黒猫、あれがマーブルキャットだろ？　そうじゃなければ、あのネコだけ色を落としていない説明がつかない。ほかの色つきのネコはまた久留米池公園に放して再利用でもしたのかな。なんにしろ、こうしてお前たちはまんまと目的を果たした。さて、私の推理は間違っているか？」

鷹央は挑発するように上目づかいに安西をうかがう。十数秒の沈黙の後、安西は食いしばった歯の隙間から声を絞り出していく。

「……そうよ。この前の事故で、密輸した五匹のマーブルキャットに全部逃げられたの。その後は全部あなたの言うとおり。これで満足？　警察につきだしたいなら好きにしてよ、それより……」

「ああ、じゃあそうさせてもらおうか」

早口でまくし立てる安西を鷹央が遮った。安西は口を半開きにして「えっ？」とつぶやく。

「おーい、入ってきていいぞー」

鷹央は安西に、いや安西のうしろにある廊下と診察室をつなぐ扉に向かって言った。勢いよく横開きの扉が開く。その奥から筋肉で膨れあがった体を、窮屈そうに安っぽいスーツにねじ込んだ男が現れた。

「成瀬《なるせ》さん？」

診察室に入ってきた田無《たなし》署の刑事、成瀬隆哉《りゅうや》を見て、僕は声をあげた。一瞬、なんでこの男がここに？　と思ったが、すぐにその理由に思い当たる。

「アンプルを探す」と言って待たせた三十分、その間に鷹央は成瀬を呼び出したのだろう。普通なら刑事が一般人の呼び出しに応じるなんてことはあり得ないだろうが、成瀬は似たような状況で何度も、鷹央が罪をあばいた犯罪者を逮捕して恩恵に与《あずか》っている。そのせいか、最近はぐちぐちと文句を言いながらも、鷹央の呼び出しに応じることが多い。

「失礼いたします。私、田無署刑事課の成瀬と申します。申し訳ございませんが、ちょっと署までご同行願えますでしょうか」

成瀬は言葉面こそ慇懃《いんぎん》だが、拒否を許さない響きのこもった低い声で言う。安西は成瀬のヒグマのような体を見上げて「あ……あ……」と声にならない声をあげると、気絶でもしたかのようにがくりとこうべを垂れた。

「それでは、いきましょう」

成瀬が腹の底に響く声で安西をうながす。この大男にこんな声を出されては抵抗する気も起きなくなるだろうな。

成瀬の手が軽く肩に触れた瞬間、魂が抜けて木偶《でく》人形のようになっていた安西が、勢いよく椅子から腰を浮かす。

「そ、その前に、その前に血清！　お願いだから、血清を打って！　この腕の傷、たぶんマーブルキャットに引っ掻かれたものなの。だから、私はきっとあのアンディなんとかっていう病気にかかっていて、血清を打たないと……」

「そんな病気ないぞ」

「……え？」

鷹央に向けて伸ばしていた手を宙空で止めると、安西は呆《ほう》けた声を上げる。

「だから、お前に言ったあの病気は全部でたらめだ。そんな病気は存在しない。午前中にケージの黒く塗られた猫にうっすらと生えはじめていた地毛の模様を見て、あれが普通のイエネコではなく、マーブルキャットじゃないかと気づいた。そして、お前たちが珍しいネコ科の動物を密輸しているんじゃないかと考えたから、それをたしかめるためにでっち上げたんだ。ちなみにアンディ・ロビンソンっていうのは、『ダーティハリー』で敵役を演じた俳優の名前だ」

鷹央が左手の人差し指をくるくると回しながら、「お前はうちのハリーの『敵』だからな」と言うのを、安西は呆然《ぼうぜん》と見つめる。

「じゃ、じゃあ私の病気は……」

「たぶん、猫ひっかき病だろうな。日本にいるネコの十パーセントほどが持っている、バルトネラ・ヘンセレ菌という細菌の感染症だ。その菌を持つネコに引っ掻かれたり嚙まれたりすることで感染する。症状としてはリンパ節の腫脹や発熱、倦怠感などだ。多くの場合は特に治療をしなくても、自然に治癒する。まあ、早く治すために抗生物質でも処方してやろうか？」

「そんな……。だますなんて、ひどい」

安西はいまにも泣き出しそうな表情で、鷹央を非難する。その瞬間、楽しげだった鷹央の表情が一変した。眉間にしわを寄せ、大きな目を鋭く細めて安西を睨みつける。安西の顔に怯《おび》えが走った。

「ふざけるな！　ネコをあんなおかしな色に塗った報いだ。いったい何十匹のネコにあんな虐待じみたことをしたんだ。拘置所にぶち込まれて、しっかり反省しろ。檻の中に入れれば、少しは動物の気持ちもわかるだろう」

鷹央の言葉に打ち据えられた安西は、焦点の合わない目を天井に向けながら、その場にへたり込んだのだった。

＊＊＊

「だめです！」

部屋に響いた声に、床に正座した鷹央は首をすくめる。

ネコに色が塗られる事件が解決して三日後の夕方、僕は鷹央の家にいた。この日、ようやく覚悟を決めた鷹央が、ネコを飼いたいと姉である天久真鶴に伝えるということで、なぜか僕も付き合わされているのだった。

成瀬から聞いた話によると、この三日で安西の所属していた団体には捜査が入り、かなりの人数の逮捕者が出たらしい。その組織は密輸をはじめ、血統書の偽造や、悪質なブリーディングなど、動物に関する様々な犯罪に手を染めていたということだ。

色を塗られたネコの保護に関しては、話を聞きつけたほかの動物愛護団体がやってきて、今度はしっかりと行ってくれているということだった。

「いや、姉ちゃん。そこをなんとか……」

鷹央は小柄な自分とは対照的に、身長百七十センチ近くある長身の姉を上目遣いに見る。真鶴は形のいい眉の間にかるくしわを寄せた。

「ここは病院です。動物を飼うなんてあり得ません。里親を探しなさい」

「病院というのは一般的に建物の中を指す言葉で、屋上に建つここは必ずしも病院とは……」

「鷹央！」

「……はい、ごめんなさい」

へりくつをこねる鷹央を真鶴が一喝する。

少し離れた位置で姉妹のやり取りを見ていた僕を、鷹央が睨みつけてきた。

「なにをボケッとしているんだよ」

「え、ボケッとって……」

「お前もここに正座して、ネコをここに置いてもらえるように頼み込めよ」

「いや、僕はべつに……」

とくにそのネコをここに置いて欲しいとは思っていないんだけど。

「早くしろ！」

鋭い声を浴びて、僕はしぶしぶそばにある〝本の樹〟を崩さないように気をつけながら、鷹央の隣で正座した。

「小鳥遊先生までそんな……」

僕まで教師に説教される生徒のように正座をしだしたことで、真鶴の端整な顔に動揺が走る。鷹央はそこを見逃さなかった。

「ほら、姉ちゃん。小鳥もこう言っているし」

僕はなにも言っていないけど……。

「こいつはこんなに私に懐いているんだ。里親に出して、もう私に会えないとかかわいそうだろ」

真似《まね》をするようにそばに座っていたネコを持ち上げると、鷹央は両手を伸ばし真鶴の顔の前に持っていく。ネコは真鶴に挨拶するかのように「ニャー」とかわいらしく鳴いた。そのあざといまでのかわいさに、真鶴の顔に浮かぶ逡巡《しゅんじゅん》はさらに濃くなっていく。

数秒後、真鶴は大きく息を吐いた。

「分かりました。里親は探さなくていいです。でも、ここで飼うのはダメ」

「じゃあ、どうすれば……」

「私たちの実家で飼いましょ。お父さんとお母さんに私から言ってあげるから。それなら、あなたも好きなときに会いに行けるでしょ」

「えー」

鷹央が子どものように不満の声を上げると、真鶴の片眉がつり上がった。

「えー、じゃありません。あなた、全然実家に帰っていないでしょ。お父さんもお母さんも寂しがっているわよ。ちょうどいい機会です。まずはそのネコちゃんを実家に連れて行って、飼う環境を整えなさい。分かったわね」

「……分かったよ」

渋々と鷹央が頷いたとき、すぐそばにあるローテーブルに置かれていた鷹央のスマートフォンが着信音を鳴らした。

「誰からだ？」

鷹央はつぶやくと、スマートフォンを手にして通話をはじめる。

「ああ、私が天久鷹央だ。お前は……。はぁ？　氷魚《ひお》先生の姪《めい》？」

氷魚先生？　僕の頭に、鷹央の師匠である凜《りん》とした初老女性医師の顔が思い浮かぶ。

「え……？　どういうことだ？」

鷹央の顔がこわばる。

ただならぬ様子に、僕は不吉な予感をおぼえながら鷹央を見つめた。

「そんな……」

鷹央は弱々しくつぶやく。その手から零《こぼ》れ落ちたスマートフォンが床で跳ね、ネコが「ニャ⁉」と小さな悲鳴を上げた。

「どうしたんですか？」「どうしたの、鷹央？」

僕と真鶴が同時に声をかけると、鷹央は半開きの唇からかすれ声を絞り出した。

「氷魚先生が……死んだ……」

Karte. 03

# 遺された挑戦状

取っ手を握りしめたままの両手に力を込めて押す。悲鳴のような軋《きし》みを上げながら、金属製の扉がゆっくりと奥へと開いていった。

わずかな隙間に体を滑りこませた御子神氷魚《みこがみひお》は、すぐわきの壁にあるスイッチを押す。蛍光灯の漂白された明かりが、天井から降りそそぎ、十数メートル奥行きのある細長い部屋の全容を浮かび上がらせた。

左右の壁に沿う形に二列、その間に三列、さらに奥の壁に沿って、この部屋には合計六列の天井まで届きそうなほどの木製の棚が立ち並んでいる。

不意に蛍光灯が点滅をしだした。普段はほとんど人が入らない部屋なだけに、管理が行き届いていないのだろう。完全に蛍光灯が切れているのか、奥の方は薄暗く、入り口近くの明かりが届かない棚の陰には闇がわだかまっていた。

気味の悪い雰囲気に、呼吸が早くなっていく。やけに埃《ほこり》っぽい空気が気管に侵入し、氷魚は激しく咳《せ》き込んだ。

咳《せき》の発作がおさまるのを待って、氷魚は奥に向かってゆっくりと歩き出した。

左右の棚には、無数の紙の束が詰め込まれている。これらは全て、かつてこの御子神記念病院で診察を受けた患者の診療記録だった。

電子カルテが普及する以前、診療記録は全て紙に記され、保管されていた。そしてカルテが必要になると、事務員が倉庫に行って対象患者の診療記録を探しては、外来や病棟に持っていっていたのだ。

平成の中頃から、電子カルテの普及に伴い、紙カルテは使用されなくなっていった。法律ではカルテの保存期間は五年となっているので、大部分の医療機関ではすでに紙カルテは廃棄されている。しかし、多くの難病、希少疾患の患者の診察・治療を行っている総合病院の中には、過去の記録も貴重なデータであると考え、可能な限り保管しているところもあった。御子神記念病院もその一つだ。そして、それらの紙の診療記録が保存されているのが、この地下の奥にあるカルテ庫だった。

御子神記念病院が電子カルテに全面移行してから、すでに二十年以上が経《た》っている。つまり、このカルテ庫にある診療記録はすべて、それ以前に記されたものだ。それゆえ最近は、この部屋に保管されている記録が必要とされることはほとんどなく、カルテ庫はほぼ『開かずの間』と化していた。

「どこだ……？」

点滅する蛍光灯の光を浴びながら、氷魚は慎重に歩を進めて行く。埃が積もった床に、氷魚の足跡が刻まれていった。

思った通りだ。少なくとも数ヶ月は、このカルテ庫を訪れた者はいない。けれど、私が求めていた『力』はずっとここに隠されている。それさえ見つけることができれば、計画は成功するはずだ。

緊張を息に溶かして吐き出しながら、氷魚は奥に進んでいく。

部屋の突き当たりまで到着した氷魚は方向転換をして、左に伸びる通路を歩きはじめる。入り口近くで点滅している蛍光灯の明かりも、棚に遮られてほとんど届かなくなり、辺りに漂う闇が次第にその濃度を上げていく。

出入り口から見て対角線上の、最も離れた位置にある左側の壁に沿って設置されている棚。その前にやってきた氷魚は、視線を上げる。そこには『S64〜H1』と記された木札がかかっていた。

ここだ。私の計算通りなら、ここに探していた『力』が隠されている。その『力』さえ利用できれば、あの男の野望を潰すことができる。

心臓の鼓動が加速し、胸の中心が熱くなっていくのを感じる。

氷魚は歯を食いしばると、棚に収められているカルテを摑《つか》んでは床に捨てていった。みるみる床に診療記録が山積みになっていく。興奮のためか、それともアミロイド蛋白《たんぱく》によって侵されている心臓が悲鳴を上げているのか、息苦しさをおぼえつつも氷魚は一心不乱に両手を動かし続けた。

収められていたカルテの大部分を棚から引き抜き、その奥にあるコンクリート製の壁が露《あら》わになりはじめたとき、氷魚の体が大きく震えた。

棚に伸ばしていた右手がだらりと垂れ下がり、摑んでいた紙の束が床へと落ちる。

なにが起きた？

まるで肩から先が巨大なハンマーになったかのように重く、そして動かなくなった右手を氷魚は見下ろす。次の瞬間、視界が大きく回転した。

とっさに右足を出してバランスをとろうとする。しかし、意思が下したはずの命令に足が反応することはなかった。まったく防御行動をとることなく、氷魚は顔面から床に倒れ込んでいく。

幸い、山積みになった紙の上に倒れ込んだので、衝撃は強くなかった。パニックになりながら、氷魚は体を起こそうとする。しかし、ただ紙の山の中でもぞもぞといも虫のように体を揺することしかできなかった。

常人を遥《はる》かに凌駕《りょうが》する機能を持つ氷魚の脳が、自分の身に起きていることを悟る。

ああ、私は『罠《わな》』にかかったのか。これはすべて、『犯人』の計画通りの出来事なんだ。

意識が、『自分』が急速に希釈されているのを感じる。視界が白く濁りはじめた。

氷魚はゆっくりと目を閉じる。超人的な記憶力を持つ脳に蓄積された六十年以上の記憶が、急速に瞼《まぶた》の裏側に再生されていった。

大丈夫、私が死んでも『あの子』がこの謎に挑み、『犯人』の企《たくら》みを暴いてくれるはず。

そして、全てが解決する。

「頼んだよ、鷹央《たかお》君……。頑張ってくれ……」

呂律《ろれつ》の回らない舌が弟子へのエールを紡ぐと同時に、氷魚の意識は暗い闇に呑《の》み込まれていった。

1

「こちらです」

白衣を着た小柄な女性、御子神鮎奈《あゆな》が、職員証をカードリーダーにかざし自動扉を開く。中に入ると、左右に長い廊下が伸びていた。

「ここは病院幹部用のフロアです。副院長室、看護師長室、事務長室、そして……」

説明しながら女性は廊下を左側の突き当たりまで進む。

「叔母の部屋があります」

鮎奈は『院長室』と表札のかかった扉をゆっくりと開く。

二十畳ほどはありそうな広い部屋。その四方の壁には天井まで届く本棚が並び、部屋の奥にあるデスクには大量の書類や書籍が積まれていた。ローテーブルやソファーなどの応接セットもあるが、そこにも書籍が山積みになっている。

「鷹央先生の〝家〟と雰囲気が似ていますね」

僕がつぶやくと、隣にいた鷹央が「ああ、そうだな」と静かに答えた。

鷹央の医学生時代の指導医であり、そして診断医としての師である御子神氷魚の死の知らせを受けた翌日の夕方、勤務を終えた僕たちは氷魚が院長を務めていた御子神記念病院を訪れていた。

僕たちを迎えてくれたのは、御子神鮎奈という名の氷魚の姪《めい》で、この病院の総合内科に所属している医師でもあった。年齢は二十代後半と言ったところだろう。整っているが幸薄そうなその顔には、たしかに氷魚の面影がある。

「せっかくですので、叔母の部屋も天久《あめく》先生に見学していただきたくて。叔母から、天久先生の話はよく聞いていましたので」

鮎奈はデスクに向かっていく。

「なあ、あれはなんだ？」

鷹央はデスクのそばにある、床からわずかに盛り上がったダイヤルを指さす。その周囲、四十センチ四方ほどが扉のようになっていた。

「あれは金庫です。三年前、この新館を建てたとき、叔母が業者に頼んで作ってもらったものです」

鮎奈が答えると、鷹央が「金庫?」と小首を傾《かし》げた。

「なんで床に金庫があるんだ?」

「さあ、たしか、『あれはパンドラの箱よ』とか、言っていましたけど、いったいなにが入っているのやら。叔母は変わった人だったので、なにを考えていたのか、凡人の私にはよくわかりませんでした」

自虐的な笑みを浮かべた鮎奈は、デスクの上に置かれた電子カルテのマウスを操作する。

「これが発見翌日に撮影された、叔母のCTです」

電子カルテのディスプレイに映し出された頭部CT画像を見て、僕の口から小さなうめき声が漏れた。

本来なら薄い灰色に映るべき脳の左側半分が、真っ白に変色していた。

「……脳塞栓症だな。左脳の極めて広い範囲で虚血による梗塞が生じている。おそらく中大脳動脈が血栓で閉塞したんだろうな」

鷹央が痛みに耐えるような表情を浮かべる。

「はい、脳神経外科の主治医もそう判断しました。発症から一日ほど経つと、頭蓋内圧亢進《こうしん》症状が認められるようになりました。投薬により頭蓋内圧を下げようとしましたが反応が薄く、発見翌日の夜に叔母は亡くなりました」

鮎奈は哀《かな》しげに目を伏せる。昨日、鷹央に連絡を取って、氷魚の死を告げたのも、そして今日、御子神記念病院に来るように依頼したのも鮎奈だった。

「ここまで広範囲に梗塞が生じたら、ひどい脳浮腫が起きるだろうから、投薬だけで頭蓋内圧を下げるのは困難だな。氷魚先生は脳ヘルニアによって死亡したんだろう」

淡々と言いつつ、鷹央はその小さな拳を握りしめる。

脳梗塞後には炎症により脳にむくみが生じ、頭蓋という限られたスペース内に収納されている脳の容量が増大する。その結果、頭蓋内の圧力が高まり、頭蓋骨の底に開いている大後頭孔に向けて脳幹部が押し出されていくことがある。そうなると、生命活動をつかさどっている脳幹はその機能を失い、患者は命を失うことになる。

「それで……」

気を取り直すようにつぶやくと、鷹央は鮎奈に視線を送る。

「どうして私を呼び出したんだ？」

「それが叔母の遺言だったからです」

鮎奈の答えに、鷹央は「遺言？」と首を捻《ひね》った。

「左脳の大部分に梗塞を起こしている状態だったのに、氷魚先生は遺言を残せるくらいの意思疎通が可能だったのか？」

「いいえ、発見された時点で叔母は完全に昏睡《こんすい》状態でした。そして翌日に死亡するまで、意識が戻ることはありませんでした」

「じゃあ、遺言ってどういうことだ？　詳しく説明してくれ。まずは氷魚先生に何が起きたのかを」

鮎奈は「分かりました」と頷《うなず》くと、軽く咳ばらいをしてから話しはじめた。

「八日前の正午過ぎ、午前の仕事が終わった私が職員食堂で昼食をとっていると、叔母が『前、いいかな？』と言って向かいの席に座り、私が主治医をしている患者の、今後の治療方針について少し意見交換をしました。叔母は院長だけでなく、この病院の総合内科の部長も兼任しているので。そのとき、叔母の院内携帯に着信が入りました。少し通話をした叔母は、『ちょっと用事が出来たから、地下に行ってくる』と言って去っていきました」

「この病院の地下には何が？」鷹央はあごに手を当てる。

「主に各種検査室ですね。レントゲン、ＣＴ、ＭＲＩ、アイソトープ検査など、放射線科が管理しているような検査はほとんどが地下で行われています。それに脳波検査や負荷心電図などの検査や、放射線治療の設備もあります。あとは倉庫と……」

少しだけ躊躇《ためら》ったあと、鮎奈は付け足した。

「霊安室です」

「霊安室……」鷹央はその言葉をくり返す。

「その日、霊安室には遺体は安置されていたのか？」

「はい、一体だけ」

鮎奈が答える。鷹央は「そうか」とあごを撫《な》でた。

「あの、ご遺体があったのが今回の件になにか関係があるんですか？」

僕がおずおずと訊《たず》ねると、鷹央は苛立《いらだ》たしげに手を振った。

「いまの時点で関係があるか否かなんて分かるわけがないだろ。まだ、情報を集めている段階だ。捜査の初動で大切なのは、可能な限りの情報を集めることだ。たとえそれが、一見すると事件とは無関係としか思えない情報でもな。どこから、真相に近づくための手がかりが見つかるか分からないんだからな」

捜査……。やはり鷹央は今回の氷魚の死が、たんなる病死ではなく何らかの事件だと考えているようだ。

——見立てよりも遥かに早く私が死んだとしたら、それは自然死じゃない。

——そのときは鷹央君、君が謎を解いて、犯人を見つけてくれ。

四ヶ月前、天医会総合病院で診察を受けたとき、帰り際に氷魚が口にしていた言葉を思い出す。

　氷魚は自分の身に危険が迫っていることに気づいていたのだろうか。彼女が予言した通り、何者かが氷魚の命を奪ったということなのか。

　けれど……。僕はあらためて電子カルテに表示されている頭部CT画像を眺める。明らかに脳塞栓症を起こしている画像だ。果たして、これが病死ではなく、事件だなどという可能性が本当にあるのだろうか？

　思考を巡らせる僕の前で、鮎奈が説明を続ける。

「その日は午後一時から総合内科の部長回診の予定だったんです。それで、五階にある総合内科の病棟で医局員たちは叔母を待っていました。と言っても恥ずかしながら総合内科は小規模な診療科なので、私を合わせて六人だけですけど」

「恥ずかしいなんてそんなことありませんよ。天医会総合病院の統括診断部なんて、鷹央先生と僕の二人しか、ぐふぅっ⁉」

　思わずフォローした僕の脇腹に、鷹央の肘鉄が食い込んだ。完全に不意を突かれ、息がつまってしまう。

「うちはまだ立ち上げて三年しかたっていないんだ。小さくても当たり前だろ。これから、どんどん研修医を勧誘して、でっかい医局にして、全国から診断しがいのある、摩訶《まか》不思議で奇妙奇天烈《きてれつ》な症状を呈した患者を集めるんだ」

　この人、そんな野望を抱いていたのか……。

「それなら、もっと部下を大切にするべきでしょ。『まず隗《かい》よりはじめよ』って格言を知らないんですか？」

「『釣った魚にゃエサはいらねえ』って格言なら知っているぞ」

うわ、この人、最悪だ……。

「あの……、話を続けてもよろしいでしょうか？」

所在なげに立っていた鮎奈が言う。鷹央は「もちろんだ」と表情を引き締めた。

「えっと、どこまで話しましたっけ……。ああ、そうだ。部長回診の開始予定時刻になっても、叔母が現れなかったところですね。そんなことこれまで一度もなかったので、私たちは困惑しました」

「私や氷魚先生みたいな特性を持つ人間は、スケジュールが狂うことに大きなストレスを感じるんだ。だから、遅刻をすることはほとんどない」

鷹央の説明に、鮎奈は「その通りです」と同意する。

「だからすぐに叔母の院内携帯にかけました。けど、呼び出し音こそ鳴るものの、叔母が電話に出ることはありませんでした」

「それでどうしたんだ？」

鷹央が先をうながすと、そのときの不安を思い出したのか、鮎奈は白衣に包まれた胸元に手を当てた。

「他の医局員たちは『少し待てば来るよ』って言っていたんですけど、私は叔母の身になにか良くないことが起きたと確信していました。私は生まれてからずっと、叔母に可愛《かわい》がられてきて、誰よりも親しかったんです。だからこそ、すぐに地下に向かいました。食堂で別れたとき、地下に行くと言っていたので」

「お前だけで行ったのか?」間髪入れずに鷹央が質問する。

「そうです。叔母が病棟に来たら連絡するように他の医局員に伝えて、一人で地下に行って叔母を探しました。CT室やMRI室にいた放射線技師や生理学検査室、超音波検査室にいた臨床検査技師に叔母が来ていないか訊ねましたが、誰も見ていませんでした。そのまま地下の部屋を順番に確認しながら、廊下を奥へと進んでいって、突き当たりの部屋に入りました」

「突き当たりの部屋って?」

鷹央の問いに、鮎奈の表情がかすかにこわばる。

「……霊安室です」

「なるほど、霊安室か。そこに遺体があったんだな?」

「はい、そうですけど……」

矢継ぎ早に浴びせかけられる問いにやや困惑した様子を見せながら、鮎奈はあごを引いた。

「その遺体は誰のものだった？　何歳で、どんな病気で死亡したんだ？」

「あの……、そんな情報まで必要なんですか？」

「もちろんだ」鷹央は胸を反らす。「さっき言ったように、どんな情報が真相にたどり着くための手がかりになるか分からないんだからな」

「は、はあ、そうですか……。えっと、すぐには分からないので、あとで調べてお伝えします」

「ぜひ頼む。説明を続けてくれ。霊安室に入ったあと、なにがあったんだ？」

鷹央の勢いに圧倒されたのか、鮎奈は「えっとですね……」と数瞬視線を彷徨《さまよ》わせたあと、気を取り直したかのように話を戻す。

「霊安室は三つの部屋になっていて、三部屋全てを確認しましたが叔母の姿は見当たりませんでした」

「その三部屋のうち、遺体があったのはどの部屋だ？」

「一番奥の部屋ですけど……」

再び浴びせかけられた細かい質問に、鮎奈は辟易《へきえき》したような表情を浮かべつつ、説明を続けた。

「それで、あらかた地下の部屋は確認したので、他の階を探そうかと思ったとき、一つだけまだ探していない部屋があることに気づきました。霊安室の手前にあるカルテ庫、この病院がまだ紙カルテを使っていた時代の診療記録を保管してある倉庫です」

「なんで、そのカルテ庫は探さなかったんだ？」

「うちの病院が電子カルテに移行したのは、二十年以上前です。それ以前の診療情報が必要になることなんて、ほとんどありません。普段は鍵がかかっていて、ほぼ『開かずの間』と化している部屋なので、そこにいるとは思わなかったんです」

「念のため、そこの部屋も確認してみたってことか」

鮎奈は硬い表情で、「はい、そうです」と頷いた。

「ただ、カルテ庫の扉のノブを回した瞬間、叔母がいると気づきました。かかっているはずの錠が開いていたからです。それで、そっと扉を開けると、天井で切れかけた蛍光灯が点滅していて、しかも埃が積もった床に一人分の足跡が残っていました」

「点滅する蛍光灯……、一人分の足跡……」

情報を整理しているのか、ぼそぼそとつぶやく鷹央の前で、鮎奈は言葉を続ける。

「足跡をたどってカルテ庫の奥へ進んだ私は、倒れている叔母を見つけました。意識は完全になくて、口から涎《よだれ》を垂らして、呼吸状態もおかしくなっているのを見て、脳卒中だと気づきました」

そのときのことを思い出したのか、鮎奈の表情に暗い影がさした。唇を噛《か》む鮎奈に、鷹央が「そのあと、どうなった？」と先を促す。

「院内携帯で医局員たちを呼びました。駆け付けた同僚たちと一緒に叔母をカルテ庫の出入り口まで運んだところで、連絡を受けた救急部のスタッフたちがストレッチャーを持ってきたので、叔母を乗せて一階の救急部まで運びました。すぐに緊急CTを撮影しましたが、それでは明らかな異常は認めませんでした」

「脳梗塞がCTで確認できるのは、半日以上はかかるからな」

「はい、でも脳出血やくも膜下出血ではないことが確認できたので、症状より脳梗塞の可能性が極めて高いと考え、脳神経外科が血管造影検査を行いました。その結果、中大脳動脈の閉塞が確認されたので、血栓溶解療法を開始しました」

血栓溶解療法とはｔ－ＰＡと呼ばれる血栓を溶かす薬を脳梗塞患者に投与し、詰まった脳の血管を再開通し、虚血に陥っている脳細胞を壊死《えし》から防ぐ治療だった。

「治療は成功したか？」

鷹央の問いに、鮎奈は「いいえ」と力なく首を横に振った。

「血栓が大きすぎたのか、血流の再開に失敗しました。翌日の血管造影検査でも中大脳動脈は完全に閉塞していました。ＣＴでも広範囲に脳の壊死が確認できるようになり、そして……。叔母は発見から約三十時間後に死亡しました」

喋《しゃべ》りつかれたのか、鮎奈は大きく息をつく。

「警察への連絡は？」

鷹央が言うと、鮎奈は訝《いぶか》しげに眉を顰《ひそ》めた。

「警察？　いいえ、していません。叔母は脳梗塞で亡くなったんですから。特に警察に連絡するようなおかしな状況ではないでしょう？」

鮎奈は不思議そうにまばたきをする。

病気による明らかな自然死ではない場合、病院は『異状死』として警察へ連絡を入れることになっている。しかし、今回の場合、中大脳動脈の閉塞による広範囲の脳梗塞という診断がついている。しかも、氷魚はアミロイドーシスという難病を患っていて、余命は半年程度と考えられていた。異状死とは見なされないのも当然と言えば当然だ。

「普通の病死と思っているにもかかわらず私を呼んだのは、氷魚先生の遺言があったからか」

「ええ、そうです。この数ヶ月、叔母は何度も言っていました。『私になにかあったら、天医会総合病院の天久鷹央先生に連絡をして』って」

「氷魚先生が……」

鷹央は口元に手を当てて考え込みはじめる。数十秒後、ぶつぶつと独り言を口の中で転がしている鷹央に、鮎奈が「あの……」と躊躇いがちに声をかけた。

「葬儀が終わり、落ち着いてからそのことを思い出したので、連絡が遅れてしまいました。申し訳ありません。それで、天久先生は、叔母の死が自然死ではないと考えているんですか？」

「それはまだ分からない。血栓溶解療法でも溶け切らず、これだけ広範囲に梗塞を起こす脳塞栓症ということは、かなり大きな血栓だ。おそらくは不整脈により心臓内で生じた血栓が脳に飛んだんだろう。そして氷魚先生の患っていたアミロイドーシスでは、不整脈が生じることは珍しくない」

心房細動などの不整脈が生じると、心臓内での血流が滞り、その結果、巨大な血栓が生じることがある。それが心臓から押し出されると、動脈に詰まって塞栓症を引き起こし、その動脈が栄養している臓器が虚血に陥る。

心臓内血栓は特に脳に飛んで脳塞栓症を引き起こし、重篤な症状を起こすことが少なくなかった。

「じゃあ、やっぱり自然死だということに……」

鮎奈が戸惑いがちに発したセリフを遮るように、鷹央は掌《てのひら》を突き出す。

「ただ、四ヶ月前に、氷魚先生がこう言っていたんだ。『見立てよりも遥かに早く私が死んだとしたら、それは自然死じゃない。私はある人物に殺されたということだ。そのときは鷹央君、君が謎を解いて、犯人を見つけてくれ』と」

鮎奈の顔がこわばった。絶句する鮎奈を、鷹央はじっと見つめる。

「氷魚先生は、自分が何者かに殺害されるかもしれないと予期していた。そこで質問だ。誰か、氷魚先生の命を狙いかねない人物はいるか?」

鷹央の視線を浴びた鮎奈は、緊張した面持ちのまま、ゆっくりと口を開いた。

「はい……、います。一人だけ」

鷹央は小さくあごを引く。

「それこそが、氷魚先生が私を呼んだ理由だ。というわけで、まずは『事件現場』を見にいくとするか」

2

エレベーターをおりると、正面に長い廊下が続いていた。

「ここが地下フロアです」

先導して進んでいく鮎奈のあとを、僕と鷹央がついて行く。

院長室をあとにした僕たちは、鮎奈の案内で脳梗塞を起こした氷魚が発見されたという地下階へとやってきていた。

主に検査を行っているフロアということで、日中は多くの患者が行き来しているのだろうが、この時間は人気《ひとけ》がなく、がらんとしていた。

足を進めながら、僕はフロアを見回す。

右手には採血室や、心電図、負荷心電図、脳波などを測る生理学検査室がある。逆に左手には、レントゲン室があり、その奥に心臓や腹部、甲状腺などを調べる超音波検査室や、放射線治療室があった。廊下の突き当たりに『関係者以外立入禁止』と記された扉があり、その左右に通路が伸びていた。

「叔母が発見されたのはこの奥です。ここからは職員以外は立入禁止になっています」

鮎奈は首からぶら下げた職員証を扉のわきにあるカードリーダーにかざす。ピッという電子音に続き、錠が外れる金属音が響いた。

鮎奈が扉を開くのを待ちながら、僕は左右に伸びる廊下を見回す。

向かって左側の廊下の右手には手前にＣＴ検査室、奥にＭＲＩ検査室がある。振り返って向かって右側の通路を見ると、その左手には血管造影室があり、さらに奥には病理検査部があった。

「どうしました。行きますよ」

鮎奈にうながされ、僕ははっと我に返る。いつの間にか鮎奈と鷹央は、開いた扉の向こう側へと移動していた。僕は「ああ、すみません」と首をすくめながら扉をくぐる。その瞬間、気温が一気に下がった気がした。

いや、本当に下がったのかもしれない。扉の奥には数メートルの短い廊下が伸び、左手に鉄製の小さな扉、右手には『解剖室』と示された扉があった。

この御子神記念病院ほどの規模の総合病院なら、亡くなった患者の病理解剖を行えるようになっていることが多い。遺族の許可のもとに、死亡した患者を解剖して、その疾患や治療効果などを調べることにより、医学発展の糧にするのだ。

屍《し》は師なり。

解剖により亡くなった患者から学ばせてもらうことで発展してきた医学。それを修める者は、この格言を徹底的に叩《たた》き込まれるのだ。

そして廊下の突き当たりには、銀行の金庫室の扉を彷彿《ほうふつ》させる、重厚な金属の扉が鎮座していた。

その扉のわきに『霊安室』と記されていることに気づき、僕は無意識に唾を呑み込む。

外科医として働いていた頃は、担当患者の死は日常茶飯事だった。それゆえ、最後の挨拶をするために霊安室を訪れ、弔いの言葉をかけることも多かった。けれど、この御子神記念病院の霊安室はどこか無機質で冷たく、僕が他の病院で見た、温かみのある霊安室とは一線を画すものだった。

「ここが、叔母が倒れていたカルテ庫です」

鮎奈は左手にある金属製の扉の前に立つと、白衣のポケットから取り出した鍵を鍵穴に差して手首をひねる。錠が外れるガチャリという音が廊下の空気を震わせた。

「発見時は、この扉に錠はかかっていなかったんだな」

「はい、そうです。だから不審に思って扉を開けたら足跡があったんで、慌てて中を調べて、倒れている叔母を見つけたんです」

説明しながら鮎奈はノブを回す。悲鳴のような軋みをあげながら扉が開き、その隙間から埃っぽい空気が流れ出してきた。咳き込みはじめた鷹央の小さな背中を、僕は「大丈夫ですか？」とさする。

「大丈夫に決まっているだろ。行くぞ」

咳の発作がおさまった鷹央は、カルテ庫に踏み込む。鮎奈が「明かりをつけますね」と、出入り口のそばにあったスイッチを入れた。

天井で蛍光灯が点滅をしはじめた。天井まで届く木製の棚が奥まで続いている部屋が、定期的に消える白く濁った光に浮かび上がる光景は不気味で、ホラー映画のような雰囲気を醸し出していた。

「先生、入らないんですか？」

出入り口で止まっている鷹央に声をかける。鷹央は横目で僕に、湿った視線を浴びせかけてきた。

「いつも口を酸っぱくして言っているだろ。『捜査はまず観察からはじまる』って」

「いえ……、いつも聞いているのは『診断はまず観察からはじまる』だった気がしますけど」

「捜査も診断も似たようなものだ。捜査は事件についての謎を、診断は疾患についての謎を解き明かすためのものだからな」

「はあ……、さいですか」

僕が適当に相槌《あいづち》を打つと、鷹央は棚と棚に挟まれた通路を凝視する。

「床にかなり厚く埃が積もっているな。ほとんど『開かずの間』になっていたというのはたしかなようだ。しかし、かなり足跡が残っている」

鷹央の言う通り、カルテ庫の床にはかなりの人数が行き交ったと思《おぼ》しき足跡が残っていた。

「倒れていた叔母を運び出すために、私たち医局員が出入りしたときのものだと思います」

鮎奈が答える。鷹央は「そうか」と頷くと、鮎奈に向き直った。

「お前が氷魚先生を発見したとき、このカルテ庫には一人分の足跡しかなかったと言っていたな。それはたしかか」

「ええ、間違いありません」鮎奈は迷うことなく頷いた。

「それじゃあ、足跡はカルテ庫の奥に向かう分だけだったか？　それとも、戻ってくる分もあったか？」

数瞬、記憶を探るように鮎奈は空中を見つめる。

「奥に向かう分だけでした。だからこそ、私は叔母がカルテ庫の中にいると確信したんですから」

「とすると、普通に考えたら発見当時、このカルテ庫の中には氷魚先生だけしかいなかったことになるな」

「はい、そうですけど……」

なぜ、そんな細かいことにこだわるのか理解できないといった様子で、鮎奈は眉間にしわを寄せる。

「そうか……」

つぶやきながら鷹央はキョロキョロと辺りを見回すと、「あれだ」と天井に取り付けられている防犯カメラを指さした。

「あの防犯カメラは作動しているのか？」

「一週間分を録画しています。カルテ庫はかなり古いとはいえ患者さんの個人情報ですし、この奥には霊安室もありますので、セキュリティはしっかりしています」

「一週間分⁉　ということは、氷魚先生が発見された前後の映像はもう消去されているということか⁉」

鷹央が甲高い声を出すと、鮎奈が首を横に振った。

「いえ、なにかのときに必要になるかもしれないと考えて、その前後の映像はしっかりと保管しています」

鷹央が「良かった」と胸を撫でおろした。僕はふと疑問をおぼえ、鮎奈に話しかける。

「『なにかのとき』ということは、鮎奈先生も氷魚先生がたんなる病死ではないかもしれないと感じていたんですか？」

「いえ、そういうわけじゃありません」

鮎奈は慌ててかぶりを振った。

「叔母がどの時点でどんな症状を発症していたかなどの情報が、診断や治療に必要になるかもしれないと思い、当日のうちにその部分の録画データを移しました。しかし、その後すぐに叔母は病死で亡くなったので、映像は見ていません。逆に天久先生はどうして映像を見たいと思っていたんですか？」

「もちろん、お前が言っていることが本当かも含めて、『事件』前後の状況を把握しておきたいからだ」

「……私が嘘《うそ》をついていると？」鮎奈の表情が険しくなる。

「嘘をついているかどうかは、映像を見ない限り分からない。少なくとも、その映像はどうして氷魚先生が命を落としたのかを解明するための、重要な手がかりだ」

「つまり、天久先生にとっては私も、叔母を殺した容疑者の一人なんですね」

顔をわずかに紅潮させながら、鮎奈は低い声を絞り出す。

「ああ、もちろんだ」

即答した鷹央に、鮎奈の顔の赤みがます。抗議の言葉を吐こうと、鮎奈は前のめりになって口を開くが、その前に鷹央が言葉を続けた。

「お前だけじゃない、いまの段階では氷魚先生にかかわった全員が容疑者だ。私自身も含めてな」

「天久先生も？」

意味が分からないと言った様子で、鮎奈はこめかみに手を当てる。

「ああ、そうだ。私は自分が犯人ではないと知ってはいるが、だからと言ってまだそれを証明できる段階でもない。まだ情報が全く不十分な現状では、ありとあらゆる人間が容疑者だということだ。全ての可能性を捨てることなく検討し、そして得られた証拠によってあり得ない可能性を消し、真実の輪郭を浮かび上がらせていく、それこそが捜査というものだ」

滔々《とうとう》と述べた鷹央が、顔の横で左手の人差し指をぴょこんと立てた。

「かつての偉人も言っている、『全ての不可能を消去して、最後に残ったものが如何《いか》に奇妙なことであっても、それが真実となる』とな」

「その偉人って誰ですか？」

疑わしげに鮎奈が訊ねると、鷹央は「もちろん、シャーロック・ホームズだ！」と胸を張った。

「ホームズって……」

いつの間にか、表情から怒りが消え、代わりに濃い困惑が浮かんでいる鮎奈に同情しつつ、僕は鷹央に「で、これからどうするんですか？」と声をかける。このまま放っておいたら、ホームズについてのトリビアを延々と聞かされかねない。

「もちろん、現場を見るんだ。ほら、案内をしてくれ」

うながされた鮎奈は、「はあ……」と曖昧な返事をすると、鷹央とともにカルテ庫に足を踏み入れた。

部屋の空気は、廊下とは比べ物にならないほどに埃っぽく、かび臭かった。目の痛みをおぼえるほどに蛍光灯が点滅している空間を、僕たちは慎重に、棚と棚で囲まれた通路を進んでいく。

天井に届くほどの高さでそびえ立っている左右の木製の棚には、ぎっしりと紙の束が詰め込まれていた。この御子神記念病院が建ったのが四十年前で、電子カルテ導入が二十年以上前ということは、約二十年分の膨大な診療記録がこの空間に収められていることになる。これくらいの分量になるのも当然だろう。

「足跡は六人分あるな。女性三人、男性三人といったところか。そのうちの女性一人分が、奥に行っただけで、戻ってきた痕跡がない。それが氷魚先生の足跡だろう。つまり、五人の男女が駆け付け、氷魚先生を部屋の外に運び出した。あっているか？」

「そんなことまで分かるんですか⁉」

鮎奈が驚きの声を上げると、鷹央は得意げに鼻を鳴らした。

「足跡の観察は、名探偵の基本的な能力だからな」

あなたの仕事は探偵でなくて、医者なんですが……。

胸の中で突っ込むが、口に出すとまた鷹央が診断医と探偵の類似点などについて、持論を長々と話しだしそうなので、口をつぐんでおく。鮎奈もあまり深く考えない方がいいと思ったのか、「そうですか……」と曖昧に相槌を打つだけだった。

部屋の奥に進むにつれ、暗くなっていく。鷹央は顔を上げて、天井の蛍光灯を見た。

「ここから先の蛍光灯は軒並み切れているな。普通、こういう大病院では、切れた電灯はすぐに取り換えられる。それすらされていないということは、本当にここは忘れ去られた空間だったんだな」

「はい、この新館を建ててから、ほとんど誰も入らなかったと思います。基本的にずっと鍵がかかっていましたし」

「ここの鍵を持っているのは誰だ？」

「院長、副院長、看護師長は持っていました。あと、管理課と警備室にも鍵は保管されています。この鍵は、管理課から借りてきたものです」

鮎奈は手にしている鍵を顔の前に掲げた。

「古いタイプの鍵だから、複製はそんなに困難じゃないな。その気になれば誰でもスペアキーを作れたはずだ。そこからこの部屋に入れる者を絞り込むのは難しいか……。さて、それじゃあそろそろ『事件現場』へ向かうとするか」

胸の前で両手を合わせた鷹央は、床の足跡を観察しながら歩みはじめる。僕と鮎奈もそのあとを追った。奥に進むにつれ、周囲が暗くなっていく。

通路を突き当たりまで進んだところで、鷹央は右手の棚に向き直る。

「この棚の背後の壁の向こう側が霊安室か？」

「はい、そうです。位置関係からすると、三番霊安室になると思います」

「氷魚先生が発見されたとき、唯一、遺体が安置されていた部屋だな」

「そうですけど……」

「ちなみに、そのときの遺体はすでに棺に入っていたか？　ドライアイスは？」

一般的に、病院で亡くなった遺体を霊安室に安置する際は、体を拭いて着替えさせたうえで横たえ、顔の上にガーゼを置くくらいだ。しかし、まれに家族が遠方に住んでいて、病院に来るまでに時間がかかるときなどは、依頼された葬儀社がやってきて、遺体を棺に入れたうえ、腐敗を防ぐためにドライアイスで冷やすという処置を行うことがあった。

「えっと……。たしか棺には入っていました。ただ、ドライアイスを使っていたかまでは分かりません」

「なら、どこの葬儀社が依頼を受けたか調べて、あとで連絡をくれ。どのような処置をしたのか、詳しく聞くから」

「あ、あの……」

頭痛をおぼえたかのように鮎奈はこめかみに手を当てる。

「それは重要なことなんですか？　コンクリート製の厚い壁の向こう側にあった遺体ですよ」

「重要かどうかは分からない。だが、もし今回の件が氷魚先生が予期していた通りの殺人事件だとしたら、一つ極めて不可解な点がある」

「不可解な点？」

鮎奈が眉間にしわをよせると、鷹央は顔の横で左手の人差し指を立てた。

「この部屋が密室だったということだ」

「密室？　あの日、扉の鍵は開いていましたけど……」

「ミステリには外部から出入りができない空間という『狭義の密室』だけでなく、『広義の密室』という概念がある。その空間への出入りは物理的には可能だが、犯人が現場に近づけなかった、もしくはそこから去ることができなかったと考えられる状況だ。例えば、雪が降り積もった場所に明らかな他殺死体があるが、その周囲には被害者の足跡しか残されていないといったものだな」

「今回の場合は、雪でなくて、埃に残された足跡により『広義の密室』になるということですね」

床に視線を落としながら僕がつぶやくと、鷹央は「その通り」と指を鳴らし、鮎奈の顔を見る。

「お前の証言が正しければ、事件当時、この部屋には氷魚先生が部屋に入る足跡しかなかった。つまり、『犯人』は足跡を残すことなく犯行を行ったということだ。それはすなわち、この事件が『広義の密室殺人』に当たる可能性を示唆するものだ」

「ちょっと待ってください」

鮎奈の声が大きくなる。

「いつの間にか叔母が殺されたことになっていますけど、病死なら密室もなにもありません。というか、普通に状況を見たら、自然死と考えるのが妥当じゃないですか」

「ああ、もちろんだ」

鷹央はあっさりと頷く。反論されることを予想していたのか、鮎奈は拍子抜けしたような表情を浮かべた。

「たしかに普通に考えたら、氷魚先生は病死だろう。しかし氷魚先生は『犯人を見つけてくれ』と私に言い残した」

鮎奈は「犯人……」と小声でつぶやく。

「だからって、叔母が殺されたと断定なんてできないじゃないですか……。余命なんてあくまで統計データと主治医の経験からはじき出した平均値でしかありません。それより早く命を落とすことなんていくらでもあります。特に、叔母のように難病を患っていた人は」

「その通りだな。だからこそ、全力で今回の『事件』の捜査をするんだ」

「あの……、なにをおっしゃっているのか、私にはさっぱりついていけません……」

これが常識人の反応だよな……。両手で頭を抱える鮎奈に、僕が同情をおぼえていると、鷹央はゆっくりと口を開いた。

「つまりだ、徹底的に調べて、それでも誰にも氷魚先生を殺害することが不可能だとしたら、氷魚先生の死は病死ということになる。自分の身になにかあったとき、私がその真相を突き止めることこそ、氷魚先生の希望だった。私は氷魚先生の弟子として、その想《おも》いにこたえたいんだ。だから、ぜひ協力してくれ」

鷹央はまっすぐに鮎奈を見つめる。目を逸らすことなくその視線を受け止めた鮎奈は、大きく息を吐いた。

「分かりました。それが叔母の遺志なら、出来る限りの協力はします。それで、あとは何を知りたいんですか？」

「発見当時の状況だ」

鷹央は張りのある声で言うと、振り返って後ろに伸びる通路を指さした。そこには、入り口からここまでと同じように数人分の足跡が残っている。突き当たりの棚は空きが目立ち、そして手前の床には紙の束が山積みになっていた。

「見たところ、あそこが『現場』のようだな」

「はい、そうです。あの紙の山に横たわるように叔母は倒れていました」

そのときのことを思い出したのか、唇を固く結ぶと、鮎奈は重い足取りで氷魚が倒れていたという場所に向かって進んでいく。僕たちはその背中を追った。

出入り口近くで点滅している蛍光灯の明かりも、背の高い棚に遮られて届かなくなり、通路には深い闇が揺蕩《たゆた》っていた。夜目が利く鷹央は気にする様子はないが、僕は必死に目を凝らさなければ周囲の状況が摑めなかった。

途中、左手に二本、通路が伸びている。一見したところ、そこに積もっている埃には足跡は見当たらなかった。

「ここです。ここに叔母は横たわっていました」

紙の山の前で足を止めた鮎奈は、硬い声で言う。鷹央はウェストポーチの中からペンライトを取り出して点《つ》けると、この闇を中和するには弱々しい光を棚に向ける。そこには『S64～H1』と記されていた。

「三十年以上前の診療記録が置かれていた棚か。ここで、氷魚先生は何をしていたんだ？」

ひとりごつように鷹央はつぶやく。

「なにか調べていたんじゃないですか？　それもすごく急いで。こんなに雑にカルテを床に落としているんですから」

鮎奈が答えると、鷹央は床にひざまずいて落ちている紙の束を拾い上げ、その下の床に光を当てて観察をする。鮎奈が「なにをしているんですか？」と小首を傾げた。

「カルテの下にも厚く埃が積もっている。つまり、これは最近になって床に落ちたものだ。もし、以前からこうなっていたなら、埃は床でなく、カルテの上に積もるはずだからな」

「やっぱり叔母はなにかを探していたんですね」

「そうなるな。しかし、氷魚先生は三十年以上前のカルテを漁《あさ》って、いったいなにを調べようとしていたんだ……」

口元に手を当てて数十秒考え込んだあと、鷹央は「そうだ」と鮎奈に声をかけた。

「さっき、氷魚先生を殺す動機がある人物に、心当たりがあるって言っていたな。いったい誰のことなんだ？」

「それは……」

鮎奈が口を開くと同時に、扉が開く音が聞こえてきた。僕たちはいっせいに音が聞こえてきた方向を見る。誰かがカルテ庫に入ってきた。

「……ここは、普段誰も入らないって言っていたよな」

鷹央が小声で確認すると、鮎奈は「そのはずなんですが」と表情をこわばらせる。

キコキコという金属が軋むような音が、埃っぽい空気を揺らす。その音は、明らかにこちらに近づいてきていた。

いったい、なんの音だ？　緊張しつつ、僕は無意識に鷹央と鮎奈の前に出て、身構える。

もし、本当に氷魚が殺害されていたとしたら、ここは犯罪現場ということになる。『犯人は現場に戻ってくる』という、刑事ドラマで聞いたことのある格言が頭をよぎった。

奥の通路に、蛍光灯に照らされた影が差す。その形は何者かが、棒のようなものを両手に持っているように見えた。

凶器を持っている？　僕は襲いかかられてもすぐに対応できるよう、重心を落とし、拳を握りしめた。この狭い通路では、長い凶器を振り回すのは難しいはずだ。もし襲ってきたら、一気に懐に飛び込んで正拳突きを叩き込む。

これから取るべき行動をシミュレートしている僕の目に、棚の陰から姿を現した人物の姿が飛び込んできた。

「……え？」

呆《ほう》けた声とともに、固く握り込んでいた拳が開いていく。そこにいたのは、高齢の男性だった。頭髪はかなり薄く、しわとシミが目立つ顔には神経質そうな表情が浮かんでいる。そして、男は痩せた体を白衣に包み、車椅子に腰かけていた。

影で棒のように映ったのは、男が乗っている車椅子の車輪だったことに僕は気づく。

「……叔父さん」

鮎奈がうめくように言う。その口調からは、男に対する嫌悪が滲んでいた。

「私の叔父で、この病院の副院長の御子神知奴《ちぬ》です。氷魚叔母さんの兄でもあります」

鮎奈に紹介された知奴という男は不機嫌そうに僕たちを睨みつける。そのとき、鷹央がずいっと僕の前へと移動した。

「知奴か。出世魚で知られるクロダイの別名だ。それにちなんだ名前だな」

鷹央が魚についての知識を披露すると、男は鼻の付け根にしわを寄せた。

「なんだお前は？　うちの病院のカルテ庫でいったい何をしている？　鮎奈が怪しい奴《やつ》らを地下に連れて行ったという報告を受けたから、こうして様子を見に来たんだ」

「私は天久鷹央だ」

鷹央が胸を張って名乗ると、知奴と呼ばれた男は「天久鷹央……」と小声で呟《つぶや》いたあと、鼻の付け根のしわを深くした。

「氷魚の教え子で、天医会総合病院の副院長か。そいつがここでなにをしているんだ？」

「氷魚先生の身になにがあったのか、調べているに決まっているだろ」

「氷魚の身に？」知奴はわずかに首を捻った。「何を言っているんだ？　氷魚は血栓による脳梗塞で死んだんだぞ。こんなところを調べてなんになる？」

「たしかに、氷魚先生の命を直接奪ったのは中大脳動脈に詰まった巨大血栓だろう。しかし、それが自然にできたものなのか、それとも何者かが氷魚先生を殺害するために、人為的に生み出したものなのかはまだ分からない」

「殺害⁉　なんの話だ？」知奴の頰が引きつった。

「氷魚先生が四ヶ月前、私に言っていたんだ。近いうちに自分が死んだら、それは病死ではなく、何者かに殺されたということだってな」

「馬鹿なことを言うな。そんなの氷魚の妄想に決まっているだろ」

　知奴は大きく左手を振る。

「あいつは子どものときから頭がおかしかったんだ。空気を読めずに輪を乱すし、年長者への敬意もない。おかしなことに異常にのめり込んだり、そうと思えば常識的な当たり前のこともできず、家族に恥をかかせたり」

　知奴が悪《あ》しざまに吐き捨てている氷魚の特徴は、そのまま鷹央が持っている特性でもあった。

　集団生活を営む動物は、異質な個体を排除しようとすることが多い。生まれながらにして、その超人的な知能と引き換えに、他人とのコミュニケーション能力が欠如している鷹央は、これまで幾度となく社会に拒絶されて苦しんできた。そして、おそらくそれは氷魚も同様だったのだろう。

　にもかかわらず、彼女たちは診断医として、自らの能力を社会のために役立てる道を選んだ。

　それなのに……。再び震えるほどに強く拳を握りしめる僕の隣で、鷹央は無言で知奴を見つめていた。その童顔からは、ありとあらゆる表情が消え去っていて、まるで能面を見ているような心地になる。

「……終わったか？」

氷魚に対する愚痴を垂れ流し終えた知奴に、鷹央は氷のように冷たい声を浴びせかける。その迫力に気圧《けお》されたのか、知奴の顔に動揺が走った。

「な、なんにしろ、氷魚が殺されたなんて馬鹿げてる。私が院長を務めるこの病院で、勝手なことをすると警察に通報するぞ」

「叔父さんは院長じゃありません！」

鮎奈が声を荒らげると、知奴は小馬鹿にするように鼻を鳴らした。

「来月の理事会で俺が院長になることは既定路線だ。氷魚には子どもがいないから、俺が医療法人の株を相続することになるからな。俺がもともと持っている株式と合わせれば、四十パーセントを超える」

「私も父からこの病院の株を相続しています。それに、叔母さんの株を相続する権利だってあります」

「お前が院長に立候補するというのか？　まだひよっこのくせに。誰が研修が終わったばかりの医者の下で働きたいと思う？」

嘲笑するかのように知奴が言う。鮎奈は反論できず、悔しげに唇を噛むだけだった。

「というわけで、天医会のお嬢さんにはさっさとお帰りいただこうか」

「嫌だと言ったら？」

鷹央はすっと目を細める。緩んでいた知奴の顔がこわばった。

「……本気で警察を呼ぶぞ」

鷹央は「好きにしろ」と、唇の端を上げる。

「氷魚先生の兄なら、私が警察に協力していろいろな事件を解決していることくらい知っているだろ。顔が利くから、簡単につまみ出されたりはしないさ。下手をすると、お前たちになにか後ろ暗いところがあるんじゃないかと疑われるかもな」

そうかなあ……。たしかに事件は解決しているけど、警察からはかなり煙たがられているんじゃないかなぁ……。

胸の中でつぶやくが、口に出すと面倒なことになりそうなので黙っておく。

「ガキが……、調子に乗るなよ」

どすの利いた声で言いながら、知奴は車椅子の車輪を回して鷹央の目の前まで近づいてくる。一メートルほどの距離で、鷹央と知奴は睨み合った。蛍光灯の点滅が、まるで視線がぶつかって火花を散らしているかのように見える。

十数秒後、先に視線を外したのは知奴だった。僕たちの後ろにあるカルテの棚を見ると、その表情をこわばらせる。

「平成元年……」

うめくように言ったあと、痛みに耐えるかのように顔をしかめ、髪の薄い頭を片手で押さえた。

「馬鹿らしい。俺は院長代行業務で忙しいんだ。ガキの探偵ごっこに付き合っていられるか。すぐに出ていかないと、警備員につまみ出させるぞ」

大きく舌を鳴らしながら器用に車椅子を回転させると、知奴は逃げるように去っていった。その姿が棚の陰に消えるのを見送った僕は、首を捻る。

「なにか、様子が変でしたね」

「平成元年のカルテが散乱していることに動揺していたみたいだな。氷魚先生が何を探していたのか、心当たりがあるのかもしれない。おそらくは、あの男にとって何かの弱みとなるようなもののな」

「だとしたら、なんとしても僕たちを追い出そうとするんじゃないですか？」

僕のセリフに、鷹央は「ここにいるのが私だけならな」と目を細めて鮎奈を見る。

鮎奈は「わ、私がなにか？」と軽くのけぞった。

「あのまま必死に私たちを追いだしたら、ここに自分の弱点があると告白しているようなものだ。そして、部外者である私たちを排除できたとしても、この病院の勤務医であるお前を追い出すことはできない。だとすると、下手に騒いだら藪蛇《やぶへび》になるリスクの方が高いと計算した。そういうことじゃないか」

僕が「なるほど、たしかに」と相槌を打つと、鷹央はずいっと、鮎奈ににじり寄る。

「さっき お前が思い当たった、『叔母を殺す動機がある人物』というのは、あの男か？」

鮎奈は数秒、逡巡《しゅんじゅん》するようなそぶりを見せたあと、おずおずと「はい、そうです」と頷《うなず》いた。

「あの男について詳しく教えてくれ」

「……叔父の知奴は、氷魚叔母さん、私の父の三人兄弟の次男で、うちの病院の副院長を務めています。たしか、いま六十四歳のはずです」

「妹の氷魚先生が院長で、兄が副院長というわけか。出世魚のくせに、出世で負けているじゃないか」

鷹央は皮肉一杯に言う。

「はい。叔父は人格的に問題があるというか、簡単にいうと人望がありません。だから、いまは理事長を務めている祖父が院長を引退するとき、叔母を大学の医局から呼び戻して院長に指名しました。私の父は医学の道には進まなかったため、病院経営にはかかわっていませんので。叔母は変わったところはありましたが、叔父よりははるかに人望がありました」

「私たちのような人間関係が不得手になりがちな特性がありながら人望があるとは、やはり氷魚先生はすごいな。私とは大違いだ」

自虐に満ちた口調で言う鷹央を見て、なぜが胸に軽い痛みが走る。

「……そんなことありませんよ」

僕が声をかけると、鷹央は「おべっかは嫌いだ」と渋い顔でかぶりを振った。

「それより、御子神知奴は自分が院長になれなくて、かなり反発したんじゃないか？あの手の古い男は、権力に強い執着を見せるからな」

「はい、その通りです。自分はずっとこの御子神記念病院に勤務して尽くしてきたのに、なんで大学医局にいた叔母を院長にするんだと激高しました。最初の頃は、叔母を失脚させようと様々な裏工作までしたらしいです。うちの病院の外科部長を長く務めていた叔父は、院内に手駒がいっぱいいましたから」

鮎奈の説明を聞いた鷹央は、「ああ、いやだいやだ」と心底面倒くさそうな声を出す。

「うちの叔父貴もそうだけど、昭和の男ってどうして下らない小細工をしてまで、お山の大将になりたがるんだろうな。私が氷魚先生の立場なら、院長の座なんて熨斗《のし》をつけてプレゼントしてやるのに」

普段から天医会総合病院の副院長の仕事を「面倒だ、面倒だ」と文句を言っては、姉の真鶴《まづる》に叱られている鷹央は大きくため息をつく。

「叔母も院長なんかやりたくないって、いつも愚痴をこぼしていました。ただ、この病院を頼むと祖父から念をおされていましたし、叔父の病院運営方針には強く反発していたんで、院長を辞める気は全くありませんでした」

「あの男の運営方針？　それってどんな感じなんだ？」鷹央は眉をひそめる。

「簡単に言えば、叔父の判断基準はお金だけなんです。病院の収益を改善し、自分の実績にして役員報酬をあげることに躍起になっています」

「……病院の収益にしか興味ない、か。どっかで聞いた話だな」

天医会総合病院の院長であり、叔父でもある天久大鷲《おおわし》が病院の収益を増やすことに邁進《まいしん》していることに対して、日常的に反発している鷹央は、がりがりと頭を掻《か》いた。

「以前なんて病床の半分以上を個室にして、個室代で儲《もう》けようなんていう案を出したんですよ。もちろん、叔母が潰しましたけど、もしそんな計画が実行されていたら、金銭的に余裕のない人は入院が困難になって、地域の基幹病院としての役目が果たせなくなっていました」

興奮のためか、鮎奈の声が大きくなる。

「それはちょっとな……。さすがに同類にしちゃ、叔父貴に悪いか」

鷹央は頬を引きつらせる。

大鷲はたしかに病院の収益にこだわっているが、それはあくまで『経営状況を安定させることが、患者への質の高い医療の提供に繋がる』という彼なりのポリシーからだ。地域住民への医療アクセスを悪化させてまで収益を上げようとしている知奴とは、似て非なる方針だった。

「四年前にくも膜下出血で開頭手術をして、右下肢に強い麻痺《まひ》が残って車椅子が必要な状態になったので、少しは大人しくなるかと思ったんですが。それどころか、さらにお金に執着するようになって、めちゃくちゃな計画まで立てはじめたんです」

「めちゃくちゃな計画ってなんだ?」

鷹央の問いに、鮎奈はつらそうに声を絞り出す。

「自費による先進医療外来を作ろうとしているんです」

「先進医療外来? なんだそりゃ?」

鷹央が小首を傾げると、鮎奈は大きなため息をついた。

「主に根治不能のがん患者に対する、免疫療法ですね。がん患者から採取したリンパ球などを増殖させてそれを体に投与して、がんを治療するというものです」

「そのような治療法は研究されているが、これまでの治験では有効性は示せてない。根治はおろか、生存期間を延ばしたり、症状を緩和する効果も認められていないはずだが」

鷹央が眉間に深いしわを刻む。鮎奈は「その通りです」とゆっくりあごを引いた。

「そういう治療は倫理観のない医師が、ほとんど効果がないことを分かったうえで、高額の治療費を取って行うことが多いものです。よりによって叔父はそんな詐欺的な、治療とも呼べない行為をうちの病院の中でやろうとしたんです」

「そりゃ、さすがに問題あるだろ。この病院が詐欺的治療にお墨付きを与えるようなものだ」

「はい、この病院に通っている患者さんの信頼を裏切る行為だって、叔母は激怒しました。けれど、知ってのとおり国の医療費削減方針で、どこの大病院も経営は苦しい状況です」

「まあ、姉ちゃんもうちの経営状況を見て、一週間便秘したみたいに、うんうん唸《うな》ったりしているしな」

「またそんなことを……。真鶴さんに言いつけますよ」

呆《あき》れ声で僕が言うと、鷹央は「あ、いまのなし！　姉ちゃんには言わないで」と慌てふためく。

鮎奈は軽く咳ばらいをすると、話を戻した。

「そういう経済的な事情と、院内政治に長《た》けていることもあり、叔父の案に賛成する理事も少なくはありませんでした」

「けど、院長の氷魚先生がそれを抑えこんだ」

「はい。自分の目の黒いうちは、絶対にそんなことはさせないって言っていました」

「つまり御子神知奴にとって、氷魚先生が計画の邪魔だったってわけだな。それだけでなく、さっき氷魚先生を悪しざまに罵っていたことを考えると、かなりルサンチマンが溜《た》まっている。きっと、幼少期から氷魚先生と比較され続け、そして負け続けてきたせいだな。……十分に殺人の動機になりうるな」

鷹央の口から「殺人」という言葉が出た瞬間、鮎奈の体が小さく震えた。

「あの、本当に叔父が氷魚叔母さんを殺したなんてことがあり得るんでしょうか？　さっきも言った通り、私がこの部屋に入ったとき、間違いなく叔母の足跡しかありませんでした。そもそも、叔母の死因は脳血栓症です。それが殺人だったなんて……」

早口で鮎奈が訊ねると、鷹央は「さあな」と後頭部で両手を組んだ。

「さあなって……」鮎奈は困惑顔になる。

「これは師匠から私への最後のテストだ」

うす暗い部屋の中、鷹央はあごを引いて不敵な笑みを浮かべる。その姿は、草むらから獲物を狙う、ネコ科の肉食獣のようだった。

「私がこの謎を解き、氷魚先生の無念を晴らしてみせる」

3

「しかし、本当に今回の件が殺人事件なんてことがあり得るんですかね？」

ハンバーグをナイフで切りながら、僕はテーブルをはさんで向かいの席でジャワカレーを貪るように食べている鷹央に声をかける。

「いひゅもいっへいりゅひゃ……」

リスのごとく頰を膨らませながら、意味不明なことをまくし立てようとした鷹央は、急に「うっ」とうめくと、薄い胸を拳でどんどんと叩きはじめた。いきなりマウンテンゴリラの真似事《まねごと》をはじめたのでなければ、喉が詰まったのだろう。

「いつも慌てて食べるからですよ」

呆れながら僕はコップを差し出す。それを受け取った鷹央は、中に入っている水を一気にあおった。

「……死ぬかと思った」

コップをテーブルに置いた鷹央は大きく息を吐く。

「もうちょっと落ち着いて食べましょうよ。で、どうなんですか？　本当に氷魚先生が殺害された可能性があるんですか？」

「まだ、情報不足なんだから、分かるわけがないだろ。とりあえずは、御子神鮎奈からの情報待ちだ」

鷹央はスプーンを手に取ると、再び一心不乱にジャワカレーの攻略をはじめる。

氷魚が亡くなったカルテ庫を調べ終え、御子神記念病院をあとにした僕たちは、ファミリーレストランで夕食をとっていた。

病院の職員用出入り口まで送ってくれた鮎奈は別れる際に、地下に設置されていた防犯カメラの映像データを渡すことと、氷魚がカルテ庫でなにを探していたかについて調べることを約束してくれていた。

「とはいえ、氷魚先生の死因は血栓による脳梗塞ですよ。そんな状況を人為的に起こせるとは思えないんですけど」

「中大脳動脈に詰まっていたのが血栓だとは限らないぞ」

スプーンを口に運びながら鷹央が放った一言に、僕は「え？」と目を大きくする。

「なに、鳩《はと》が豆鉄砲くらったような顔しているんだよ。鳩は小鳥《ことり》とは呼べるほど小さくないぞ。街中で日常的に見ることができる鳥類で『小鳥』と呼べるものは、主にスズメだろう。あとはウグイスくらいかな。ああ、ちなみに春によく見るウグイス色をした小さな鳥をウグイスだと思っている者が多いが、あれは主にメジロだ。ホーホケキョと澄んだ声で鳴くのは、あの美しい鳥ではなく、もっとくすんだ色をした鳥だな。

しかし、ウグイスがウグイス色をしていないというのは……」

「ストップ、鷹央先生、ストップです」

話が明後日《あさって》の方向に吹っ飛んでいっている鷹央を、僕は慌てて止める。放っておくと、日本の野鳥にかんして数時間、講釈を聞くはめになりかねない。

気持ちよさそうに知識を垂れ流していた鷹央は、「なんだよ？」と不満げに言う。

「小鳥の話はまた今度にしましょう」

「ああ、そうだな。お前の話はまた今度にして、いまは私が世界中の野鳥の話を……」

「そうじゃない！」

まったく嚙み合っていない会話に、僕はとっさに突っ込みを入れつつ、鈍痛がする頭を押さえる。

「血栓じゃないかもしれないって、どういうことですか？」

僕が脱線していた話を強引に元に戻すと、鷹央は「血栓？」と目をしばたたかせたあと、スプーンを持った左手の拳で、右掌をポンと叩いた。

「ああ、あれが血栓症じゃないかもしれないってことについてか」

……本当に忘れていたのか。僕が呆れていると、鷹央はスプーン曲げをするマジシャンのように、スプーンを顔の前に掲げた。

「血管造影検査で確認できたのは、中大脳動脈に『何か』が詰まっており、それにより脳への血流が途絶えていたことだけだ。解剖をしたわけではないので、それが血栓だったかどうかは、断定はできない」

「けど、あんな太い脳血管を閉塞するなんて、巨大血栓としか考えられないんじゃ……」

僕がおずおずと言うと、鷹央は「それだ」とスプーンで僕を差す。ジャワカレーの雫《しずく》が僕のシャツに飛んだ。

「たしかに、あれが自然に起きたとしたら血栓症としか考えられない。しかし、人為的に起こされたものだとしたら、そうとは限らない。なんらかの異物が中大脳動脈を閉塞していたのかもしれない」

「異物が閉塞って、常識的にそんなことあり得ますか？」

疑わしげにつぶやくと、鷹央の目がすっと細くなった。僕は失言したことに気づき口を押さえるが、すでに手遅れだった。

「いつも言っているだろ。『常識』なんていう下らない枷《かせ》で思考を縛り付けるなって。それは柔軟な発想を阻害する毒だ。先入観を捨て、全ての可能性をフラットに検討するんだ。それこそが名探偵に必要な素質だ」

「あの、探偵ではなく、僕たちは医者なんですが……」

僕の弱々しい反論を遮るように、鷹央は言葉を続ける。

「そして同時に、名診断医に必要な素質でもある。分かったな」

「はい……」

首をすくめて俯《うつむ》く僕を見て、鷹央は溜飲《りゅういん》を下げたのか「よし」と口角を上げた。

「それでは師匠として弟子のお前をテストしてやろう」

「いや、師匠と弟子とかじゃなく、上司と部下……」

いつもの癖で思わず突っ込みを入れかけた僕は鷹央にぎろりと睨まれ、「なんでもありません」と胸の前で両手を振った。

「氷魚先生の脳梗塞が何者かの手によって人為的に起こされたと仮定した場合、血管に詰まっていた物質として候補となるのはなんだ」

「人為的に血管を詰まらせる物質……」

口の中で言葉を転がしながら、十数秒思考を巡らせた僕は大きく目を見開く。

「塞栓剤！」

「その通りだ」鷹央はパチンと指を鳴らした。

肝臓がんなどでは、腫瘍に血液を送っている血管までカテーテルを伸ばし、そこに『塞栓剤』と呼ばれるスポンジ状のゼラチンを注入して、血管を閉塞させるという治療法がある。血流が途絶えた腫瘍は酸素と栄養を得ることができず壊死に陥るのだ。

その塞栓剤を脳の動脈に使用したら……。

おそろしい想像に、背筋は冷たくなる。けれど……。

「けれど、中大脳動脈を塞栓剤で閉塞させることなんて可能なんでしょうか？　普通に末梢血管から投与しても、その静脈で詰まってしまうだけのはずです。動脈まで大きな塊になって飛んでいく可能性はほとんどないんじゃ」

「だろうな。もし本当に塞栓剤で広範囲に脳梗塞を起こすなら、造影室で血管透視を行いながら、大腿《だいたい》動脈から大脳動脈までカテーテルを進め、そこに大量のゼラチンスポンジを投与する必要がある」

「そんなこと、あのカルテ庫でやるのは無理じゃないですか」

僕の指摘に、鷹央は「ああ、無理だな」と頷いて、皿に残っていたジャワカレーを掻きこむ。ほとんど咀嚼《そしゃく》することなくカレーを嚥下《えんげ》すると、鷹央はまっすぐに僕を見つめる。

「だから、塞栓剤を使ったという仮説は却下されるな」

「なぁんだ」

拍子抜けした僕が思わずつぶやくと、鷹央の目つきが険しくなった。

「塞栓剤を使った殺人でないということが分かったのは、その可能性を検討したからだ。あり得ない仮説を丹念に潰す地道な作業こそが真実に近づく道なんだ。名診断医を、そして名探偵を目指すなら、それを忘れるな」

熱意のこもった鷹央の口調に、僕の背筋が伸びる。「名探偵は目指していません」などという突っ込みを忘れ、僕は「はい、肝に銘じます」と大きく頷いた。

「それでいい」

口角を上げた鷹央は、脇に置かれていたメニューを手に取る。

「なあ、デザート頼んでいいか？　このメガ盛りプリンアラモードパフェが、さっきから気になっていたんだ」

「せっかく格好よく締めたのに……」

僕が呆れ声を出すと、鷹央は大きくかぶりを振った。

「お前が食い終わるまでかなり時間あるだろ。それまで待っていろって言うのかよ」

「鷹央先生が食べるのが早すぎるんですよ。まあ、好きにしてください」

ため息まじりに僕が言うと、鷹央は嬉々《きき》としてメニューをめくりはじめた。

「よし、それじゃあ好きにさせてもらうぞ。まずはメガ盛りパフェと、あと、酒はなににするかな……」

「お酒まで飲むつもりですか⁉」僕の声が跳ね上がる。

「別にいいじゃんか。メニューにあるんだから」

「運転がある僕の前で飲まなくてもいいじゃないですか。〝家〟に帰ってから飲んでくださいよ」

「……一人で氷魚先生に献杯しろっていうのか？」

鷹央の声が沈むのを聞いて、僕ははっと息を吞む。

そうだ、あまりに事態が急激に動いたので気が回っていなかったが、鷹央は尊敬する師を喪《うしな》ったのだ。

本当なら弔いたい気持ちがあるのだろう。しかし、氷魚が口にした「あなたが謎を解いて、犯人を見つけてね」という遺言を守るために、いまは必死に哀しみを押し殺し、ただ謎を解くことに集中している。

「……たしかに、一人で献杯はちょっとわびしいですね。だったら、僕も付き合いますよ」

僕が微笑《ほほえ》むと、鷹央はいぶかしげに眉をひそめた。

「付き合うって、お前は運転があるから飲めないだろ」

「ここでじゃなくて、〝家〟に戻ってからですよ。少しだけお付き合いしますから、氷魚先生との思い出とか教えてください」

天医会総合病院から自宅までのタクシー代は馬鹿にならないが、こんなときくらいはいいだろう。

数瞬、きょとんとした表情が浮かんだ鷹央の顔に、にまーと笑みが広がっていった。

「よし、今夜はとことん飲むぞ」

「いや、一杯だけって……」

僕は頬を引きつらせて訂正しようとするが、鷹央は無視して再びメニューに視線を落とす。

「というわけで、とりあえずゼロ次会として、ここで少しひっかけるとするか。まずはワインとハイボールを……」

はしゃいだ様子で酒を見繕っていく鷹央の前で、僕は深いため息をつきつつハンバーグにフォークを刺すのだった。


「ほら、いい加減に帰りますよ」

僕が促すと鷹央は「えー」と不満の声を上げる。

「えー、じゃありません。ファミレスでこんなに酒を飲む人なんてはじめて見ましたよ」

テーブルに所狭しと並べられているグラスやジョッキを見て、僕は呆れかえる。

「いやあ、最初は少しだけのつもりだったんだが、思ったよりもカクテルのクオリティが高くてな。本格的なバーとは違い、かなり甘めに作られているんだな。なんか、デザート感覚でカパカパいけちゃって」

この人、甘いものに目がないからな……。

「だからって、いくら何でも飲みすぎです。これ見てくださいよ」

僕は伝票を鷹央の顔の前に掲げる。

「ファミレスで三万円を超える伝票なんて、はじめて見ましたよ。あとでちゃんと払ってくださいよ」

鷹央は外出するとき面倒くさがって財布を持ち歩かないので、僕が支払いをして後で精算することが多かった。

「分かっているって、ちゃんと割り勘で……」

「いいえ、先生が注文した分はしっかり払ってもらいますからね」

「ちぇっ、ケチな奴め」

鷹央は小さく舌打ちすると、グラスに残っていたマティーニをあおって立ち上がる。

「さて、それじゃあ続きは〝家〟で飲むとするか。氷魚先生に捧《ささ》げる飲み会だ。気合を入れるぞ」

「あの……、何度も言っていますけど、僕が付き合うのは一杯だけですよ」

「ああ、分かってる。いっぱい飲みに付き合ってくれるんだろ」

「違います。一杯です。ジャスト・ワン・ドリンク！　それだけ飲んだら、タクシーで帰りますからね。明日も朝から仕事入っているんですから」

「つまんない奴だなあ……」鷹央は唇を尖《とが》らせる。

「だって、鷹央先生と飲み会をすると、いつも徹底的に潰されるじゃないですか。どんどん注いでくるから」

「私が無理やり飲ませるみたいな言い方はよせ、人聞きが悪い。お前も断らずに飲むだろ」

「体育会系の空手部にいたから、先輩とか上司のお酒を断るのが苦手なんです」

並んで会計に向かいながら僕が言うと、鷹央は「難儀な奴だな」と鼻を鳴らす。

「それに、ちょっと飲んだくらいで次の日の仕事に支障が出るなんて軟弱なんじゃないか。私なんて、いくら飲んでも次の日はきっちり仕事をしているぞ」

「いつも、ちょっとって量じゃないでしょ。それに、明日は僕は救急部の勤務ですけど先生は〝家〟でカルテ回診ですよね」

「それがどうした？」鷹央は小首を傾げる。

「カルテ回診なら、そんなに大変じゃないでしょ。救急部とじゃ労力に差がありすぎます。そうだ、溜まっている書類仕事、明日全部やっちゃってくださいよ。部長の確認が必要なものが多いんだから」

「ダメだ。明日は、重要な仕事が入っているんだ」鷹央は深刻な表情で言う。

「仕事？　いったいなんですか？」

「皿洗いだ。シンクに洗っていない食器が溜まっているのが見つかって、明日の昼までに綺麗にしておかないと、折檻《せっかん》されるんだ」

「皿洗いは仕事じゃありません！」

「なんでだよ！　私の〝家〟は統括診断部の医局も兼ねている。医局の清掃はれっきとした業務だろ」

そんなどうでもいい会話を交わしながら、僕たちは会計までやってくる。

「お会計、お願いします」

僕が差し出した伝票を受け取った女性店員は、「三万二千五百三十円です」と営業スマイルを浮かべる。

本当にファミレスとは思えない金額だな……。

僕は内心でつぶやきながら、財布からクレジットカードを取り出し、「これで」と店員に手渡した。

「お預かりします」

女性店員は愛想よく言って、クレジットカードを端末機に差し込み、会計処理をはじめる。

「立て替える分、本当にちゃんと払ってくださいよ」

「分かっているって。しつこいな」

僕に念を押された鷹央が面倒くさそうにかぶりをふったとき、店員が「あの、お客さま」と声をかけてくる。

「申し訳ございませんが、こちらのクレジットカードが読み取れないんですが」

「え、そんなはず……。もう一度試してもらっていいですか」

「いえ、もう三回も試したんですが、全然反応がなくて……。他のお支払い方法でお願いできますでしょうか」

「他の……」

僕は財布を確認する。一万円札が一枚と、千円札が数枚しか入っていなかった。額から冷汗が滲《にじ》み出すのを感じながら、僕は助けを求めるような視線を鷹央に向ける。

「……一緒に『お仕事としての皿洗い』でもして、許してもらうか」

鷹央は引きつった笑みを浮かべたのだった。

4

「おっ疲れ様でーす。借金の取り立てに参りましたー」

扉が開くと同時に、やけにテンションの高い声が〝家〟の空気を揺らした。

「ああもう、やかましいな」

電子カルテに今日診察した患者の診療記録を打ち込んでいた僕は、両手を耳に当てる。

「えー、そんな言い方ないじゃないですか。恩人に向かって」

部屋に入ってきた二年目の研修医である鴻ノ池舞《こうのいけまい》は、近づいてくると、僕の背中を楽しげにバンバンと叩く。

「たしかに『火焔《かえん》の凶器事件』のときは助かったよ。だから、お礼として新車を買ってやっただろ」

「ああ、そのことじゃないです。ファミレスの件ですよ。私がいなかったら小鳥先生、食い逃げで逮捕されていたかもしれませんよ」

にやにやと笑う鴻ノ池の言葉に忌まわしい記憶が蘇《よみがえ》り、僕は肩を落とす。

四日前、ファミレスで支払いが出来なくなった僕は、ファミレス店員からの湿った視線を浴びつつ、藁《わら》にもすがる思いで鴻ノ池に電話をした。事情を聞いた鴻ノ池はものの数分でバイクで駆け付けると、これ見よがしに「研修医のお給料、安いのになぁ」とかつぶやきながらも、三万円以上の代金を立て替えてくれた。

「分かっているよ。だから返済するためにお前を呼んだんだろ」

僕は財布から紙幣を取り出す。鴻ノ池はなぜか差し出された金を受け取ることなく、思案顔になった。

「どうした？」

「いえ、ここでお金を返してもらうのと、ずっと貸したままにして小鳥先生の弱みを握るの、どっちの方がいいのかなと悩んでいまして」

「いいから受け取れ」

僕は強引に鴻ノ池が羽織っている白衣のポケットに紙幣を押し込んだ。

「毎度どーも。けど、なんか小鳥先生、忙しそうですね」

「鷹央先生があんな状態だからな。その分の仕事を僕が負担しているんだよ」

僕は小声でつぶやくと、少し離れた位置でパソコンの前に腰かけ、前のめりでディスプレイを眺めている鷹央を親指で差した。

「鷹央先生、どうしたんですか？　なんか、鬼気迫る感じですけど」

「まあ、ちょっとな」

鴻ノ池に事件のことを知られ、「私も仲間に入れてください」とか言い出されるのを恐れた僕は、言葉を濁す。

御子神記念病院のカルテ庫を探した翌日、約束通り鮎奈が防犯カメラの映像データを持ってきた。事件前後の三日分ずつ、合計して一週間ほどの映像を鷹央はこの三日間、何度も何度もくり返し見返していた。

映像には氷魚が一人でカルテ庫に入っていき、約一時間後に鮎奈が落ち着かない様子で霊安室、続いてカルテ庫へと入り、その数分後に総合内科の医局員と思われる者たちが一斉に駆け付ける様子が映っていた。それらは全て、鮎奈の説明と一致していた。

そして、事件の前後以外、映像には誰一人としてカルテ庫に入った人物は映っていなかった。

知奴が明らかに怪しい反応を見せた平成元年の診療記録についても、鮎奈は御子神記念病院に古くからいるスタッフに聞き込みをかけて、情報を集めていた。それによると、その頃にベテラン外科医が膵臓《すいぞう》がんの手術中に誤って太い動脈を損傷し、大出血を起こした事件が御子神記念病院であったらしい。術中に患者は心停止を起こし、その数日後に死亡したということだった。

御子神記念病院は医療過誤を認め、患者の遺族に慰謝料を支払うことで和解に至り、その外科医は病院を退職したという。しかし、実際に動脈を損傷したのは、若手の外科医として第一助手を務めていた知奴であり、その責任を執刀医に押し付けたという噂《うわさ》だった。

「その外科医が院内でナースと不倫をしていたらしく、それを家族にばらすと脅して、高額の退職金を支払いつつ、責任を取らせてうちの病院から追い出したらしいです」

三日前、映像データを持ってきた際に、鮎奈が伝えてきた言葉が耳に蘇る。

かなりあくどいが、効果的な手段だ。ある程度、経験を積んだ外科医なら、他の病院でもいいポストで再就職できるだろう。遺族と和解が成立しているなら、経歴に大きな傷がつくこともない。

創業家一族の一員と争い、自らの下半身のスキャンダルで家庭が崩壊するリスクを取るより、退職金という名の口止め料を受け取って病院を去るのが最善の道だ。

ただ、医療事故後にそのような隠蔽工作を行ったとしても、手術記録などの公式な記録には、事故の詳細が書かれている可能性が高い。

和解が成立しているし、なにより三十年以上も前のことなので、たとえ知奴が事故の当事者であるということが分かっても、法的な追及を受けることはないだろう。ただ、道義的な責任は別だ。

三十年以上前と現在では、医療従事者に求められるコンプライアンスが全く違う。知奴がかつて、自らの医療過誤を隠蔽したという情報がその証拠とともにばら撒《ま》かれれば、彼の院内での立場は一気に悪化するはずだ。長年かけて培ってきた院内での政治力も一気に衰え、次期院長になるという知奴の野望もついえる可能性が高かった。

しかし、今朝、鮎奈はこう連絡をしてきた。

「この三日間、時間を見つけてはカルテ庫に通って叔父の医療過誤の証拠を探しているんですけど、まだ見つかっていません。一年分とはいえ、その診療記録は膨大で、そこから叔父のスキャンダルについて記された記録を探すとなると、藁の山の中から針を探すようなもので……」

やはり、もし氷魚の死に何者かが関与していたとしたら、事件の真相を明らかにする方法は一つだ。いかにして犯人は、密室内にいた氷魚に脳梗塞を引き起こすことができたのか。その方法が分からない限り、氷魚の死は病死とされたままで、第一容疑者である知奴が御子神記念病院の院長となってしまう。

「鷹央先生、大丈夫ですか？」

鴻ノ池が鷹央に近づいていく。しかし、鷹央はかけられた声が聞こえていないかのように、額がつきそうな距離でディスプレイを見つめ続けた。

「密室……、あれは間違いなく広義の密室だ……。どこかに、侵入ルートがあるのか……？　けれど、御子神鮎奈は足跡が一人分しかなかったと……。いや、それは、あくまで入り口から見たときの話だ……。氷魚先生の周りには蛍光灯の光はほとんど届いていなかった……。そこに本当は犯人の足跡があり、その後に駆け付けた医局員たちの足跡に混ざった可能性も……」

「あ、あの、鷹央先生……？」

異様な様子の鷹央に恐怖をおぼえたのか、鴻ノ池が頬を引きつらせる。

「ただ、秘密の入り口があったとしても、どうやって脳梗塞を作ったのかが分からないと意味がない……。紙の束が保管されているだけの空間で、頭蓋の中にアプローチする方法……。そんなことが可能なのか……？」

ネコを彷彿させる大きな目を血走らせながら、ぶつぶつと小声でつぶやき続ける鷹央の姿は、魔女が呪文を唱えているかのようだった。その迫力に、鴻ノ池がじりじりと後ずさって僕のそばに戻ってくる。

「鷹央先生、完全に煮詰まって、煮凝《にこご》りみたいになっていますよ。少し休憩取ってもらった方がいいんじゃないですか？」

「何度もそう言っているよ。けど、聞く耳を持ってくれないんだ」

不可思議な謎を目の前にした鷹央が視野狭窄《きょうさく》を起こすのは、いつものことだ。謎が解けない際に苛立ち、精神的に不安定になることも、これまで何度か目の当たりにしてきた。しかし、今回は度が過ぎている。もはや、憑《と》りつかれていると言っても過言ではないほどに。

被害者が尊敬すべき師であること、そしてその師から「君が謎を解いて、犯人を見つけてくれ」という言葉を遺《のこ》されたこと、それらが原因なのは明らかだった。

御子神記念病院で捜査をはじめたときは、少し哀しげな態度を見せていたものの、普段とそれほど変わらないように見えた。その態度に、少しだけ薄情でないかと思いさえしていた。

けれど、それが大きな間違いであることを、僕はこの三日間、鷹央と過ごして気づいた。

彼女は喜怒哀楽の表現が苦手なのだ。特に『哀』の感情が。

氷魚の死を知ってから、鷹央は深い哀しみで、その小さな胸を痛めていたのだろう。だからこそ、捜査に集中することで、胸の痛みをごまかし、そして師の遺した期待にがむしゃらに応えようとしている。

大切な人のために必死になるのは悪いことではない。しかし、限度というものがある。このままでは鷹央が心身ともに病んでしまうのではないか。そんな不安に僕は苛《さいな》まれていた。

「でも、小鳥先生しかあの状態の鷹央先生を止められないと思うんですよ」

鴻ノ池が訴えかけるような眼差《まなざ》しを向けてきた。

「いや、僕なんて……」

「なに言っているんですか！」

鴻ノ池の声が大きくなる。思わず曲がっていた背骨が伸びてしまう。

「鷹央先生にとって、小鳥先生は特別な存在なんですよ。だって、鷹央先生って他人に対してはいつも仮面をかぶったみたいに、あまり感情を出さないでしょ。私とか熊《くま》川《かわ》先生、あとは小田原《おだわら》先生みたいに仲良くなれば、ある程度は本音で接してくれますけど、仮面を脱いで完全に素顔を見せているのは小鳥先生に対してだけです」

火傷《やけど》しそうなほどに熱のこもった口調で鴻ノ池はまくしたてた。

「仮面を脱いで……」

たしかにそうかもしれない。まだ一年程度の付き合いしかないが、その間、何度もともに死線を越えてきた僕に対しては、鷹央は生の感情をぶつけてくる。

それは、彼女が僕を信頼してくれているから……。心を許してくれているから……。

「おっ、良《い》い表情になってきましたね。ということで、鷹央先生を説得してきてください」

鴻ノ池に背中を押された僕は、「分かった」と頷くと鷹央に近づき、彼女を刺激しないように努めてゆっくりとした口調で話しかける。

「鷹央先生、さすがに根をつめすぎですよ。少し休憩しましょう。リフレッシュすれば、なにか閃《ひらめ》くかもしれませんよ」

「……うるさい」

鷹央は僕に一瞥《いちべつ》もくれることなく、ディスプレイを睨みつけ続ける。

「そんなこと言わずに。ほら、おやつもありますから。少し甘いものを食べれば、頭ももっと回るようになりますって」

僕はそっと鷹央の肩に手を添える。その瞬間、鷹央は僕の手を勢いよく振り払うと、椅子ごと回転して僕を睨《ね》め上げた。

「うるさいって言っているんだよ！　ほっといてくれ！　お前には関係ないことだろ！」

「関係ない？」声が低くなってしまう。

「ああ、そうだ。これは私にとって弔い合戦なんだよ。私は師匠を殺されたんだ。私が謎を解かないと、犯人はのうのうと氷魚先生の代わりに院長に就任し、そして地域医療をめちゃくちゃにするかもしれないんだぞ。それを防ぐために、氷魚先生はもしものときのため、私にあとを託したんだ」

ほとんど息継ぎすることなく、鷹央はまくしたてる。

「これは私と師匠の問題なんだ。他人は口出しするんじゃない！」

「それじゃあ、僕と師匠の問題はどうなるんですか！」

鷹央の声量に負けないよう、僕は腹の底から声を出す。鷹央は「お前の師匠？」と眉根を寄せた。

「あなたですよ。鷹央先生のことです」

「私が師匠？」鷹央はパチパチと目をしばたたく。

「ファミレスで言ったじゃないですか、僕の師匠だって。僕は鷹央先生の下で働きなながら、診断学を基礎から学んでいるんです。たしかに僕は鷹央先生や氷魚先生のような天才ではありません。鷹央先生みたいに快刀乱麻を断つように診断を下すことなんてできません。それでも凡人なりに、この一年必死に鷹央先生から学んで、内科医として、診断医として実力を培ってきたんです。そうでしょ？」

感情が昂《たかぶ》って、声が震えてしまう。気圧されたのか、鷹央は「ま、まあ、そうだな」と首をすくめるようにあごを引いた。

「鷹央先生にとって、師匠である氷魚先生がどれだけ大切な人だったのか、どれだけ尊敬していたのかは分かるつもりです。けれど、同じように僕にとっても、師匠である鷹央先生は大切な人なんです」

「小鳥……」

鷹央はネコを彷彿させる瞳を大きくして、僕を見つめてくる。

「その大切な師匠が壊れそうになっているのに、放っておくわけにはいきません。少しは弟子の言うことも聞いてください。氷魚先生も外来では、弟子である鷹央先生の指示に従っていたでしょ」

想いを伝え終えて微笑むと、僕は鷹央の返事を待った。

十数秒後、鷹央は大きく息を吐く。胸の奥に溜まっていた澪《おり》を吐き出すかのように。険しかった鷹央の顔が、憑《つ》き物が取れたかのように穏やかになっていく。

「たしかに、頭を使うためには糖分が必要だな。低血糖では脳細胞がうまく働かない。一息つくとするか」

「ええ、お茶にしましょう。『アフタヌーン』のケーキを買ってきていますよ」

僕が昨日買ってきていたケーキを取りにキッチンへと向かうと、鷹央は「アフタヌーン⁉」と甲高い声を上げる。『アフタヌーン』は天医会総合病院から徒歩で十分ほどの距離にあるカフェで、そこの自家製ケーキは鷹央のなによりの好物だった。

「なんで『アフタヌーン』のケーキを買ってきていたのに、黙っていたんだ！」

「いや……、ちゃんと何回も伝えましたよ。けど、防犯カメラの映像を一心不乱に見て、全然返事してくれなかったじゃないですか」

本当にまったく気づいていなかったのか……。その集中力に呆れていると、鷹央は「信じられない」と首を横に振る。

「私が『アフタヌーン』のケーキを断るはずがないだろ。もっとしっかり教えろよ。それでも私の弟子か、情けない」

……さっきの良いやり取りが台無しだ。ため息をつきつつ、冷蔵庫から出したショートケーキを皿に載せていると、軽い足取りで鴻ノ池が近づいてきて、僕の脇腹を指先で突っついてくる。

「いやあ、小鳥先生って甲斐性《かいしょう》なしのヘタレだと思っていましたけど、やるときはやるんですね」

「なんのことだよ。それに、誰が甲斐性なしのヘタレだ」

こいつの僕に対する扱い、どんどん雑になっていくな。

「またまた、分かっているくせに。さっきの愛の告白ですよ。まさか『鷹央先生は大切な人なんです』なんて言ってくれるとは思いませんでした。ごちそうさまでした」

鴻ノ池が顔の前で両手を合わせて、深々と頭を下げる。

「あれは、そういうのじゃ……。あくまで師匠として……」

自分が放った言葉を反芻《はんすう》して、顔が火照っていく。僕はなんて臭いセリフを吐いてしまったのだろう。冷静になるにつれ、羞恥心が胸の奥から湧き上がってくる。

「ごまかさなくてもいいんですよ。いやあ、頑張って二人をくっつけようとした甲斐がありました。これでようやく、二人もくっついて……。あれ？　ケーキ、二つしかないんですか？　私の分は？」

「なんで自分の分があると思うんだよ。鷹央先生と僕の分しか買っていないぞ」

「えー、なんでぇ？」

鴻ノ池の不満の声が、キッチンに響き渡った。

「当たり前だろ。お前が来るなんて思っていなかったんだから」

ケーキとフォークを載せた皿を両手に持った僕は、手ぐすねを引いている鷹央が待つソファーへと向かう。皿をローテーブルの上に置くと、鷹央は「いただきます！」というや否や、ケーキにフォークを刺してせわしなく口へ運びはじめた。

「私も『アフタヌーン』のケーキ食べたいです。お金を返してもらいに私が近々やってくるの分かっていたんだから、私の分のケーキくらい買っておいてくださいよ。そんな甲斐性なしじゃ、モテませんよ」

「一瞬で百八十度評価が変わったな……。なんにしろ、これは僕の分だから諦めろ」

僕が皿からフォークを摘《つま》み上げると、その手を鴻ノ池ががしりと摑んだ。

「ワタシ　アナタノ　オンジン　ワタシ　オカネ　タテカエタ」

映画に出てくる宇宙人のような口調で鴻ノ池は言う。痛いところをつかれ、唇が歪《ゆが》んでしまう。

「全額、耳を揃《そろ》えて返しただろ」

「小鳥先生、知らないんですか？　世の中には利子というものが存在するんですよ。今回は特別に、そのケーキで手を打ちましょう」

「……分かったよ。やるよ。やればいいんだろ」

僕はうなだれると、鴻ノ池に皿とフォークを渡す。

「わーい、ありがとうございます。それでこそ、小鳥先生です」

鴻ノ池が調子のいいことを言うのを聞きながら、僕は肩を落とす。

「やっぱり、もっとケーキを買ってきておくんだった。手持ちさえあれば……」

「え、そんなにお金に余裕ないんですか？　もしかして、悪い女性に貢いでいたりします？」

「ああ、目の前にいる悪い女性に、予算を超えたバイクの新車を買わされたりしたからな。それに、自分の新車の頭金も払ったし……」

「その節はお世話になりました。おかげさまで、最高の恋人を毎日乗り合わせています」

鴻ノ池は芝居じみた仕草で、拝むように両手を合わせる。

「でも、もし本気でお金がないなら、少しだけ貸しましょうか？　利子は十日で一割で……」

「とんでもない金利で、人を借金地獄に落とそうとするんじゃない！　貯金は減ったけど、生活に困ってはいない。単にカードが使えなくなっただけだ」

「クレジットカードが使えなくなったなら、銀行口座から少し現金を引き出しておけばいいじゃないですか？」

鴻ノ池は小首を傾げながら、ケーキを口に運んだ。

「そうしようと思ったら、銀行のカードまで使えなくなっていたんだよ。家の通帳を使って少しだけ現金を下ろしたけど、カードの再発行に少し時間がかかるらしい」

「えー、カードが急に二つとも使えなくなったんですか？　そんなことあるんですねえ。日頃の行いが悪いんですかね？」

「僕の日頃の行いのどこに問題があるんだよ。そもそも……」

僕の反論を乾いた音が遮る。振り返ると、口の周りにクリームをつけた鷹央の手から零《こぼ》れたフォークが床に落ちていた。

「大丈夫ですか？」

僕が慌てて声をかけるが、鷹央は焦点の定まらない瞳で虚空を見つめるだけだった。

「カード……、密室……、脳梗塞……、罠……、力……、見えない力……」

鷹央は呆然とつぶやく。

「鷹央先生、どうしたん……」

声を上げかけた鴻ノ池を、僕は「しっ」と自分の唇の前で人差し指を立てて黙らせる。

一年間の鷹央との付き合いで知っていた。この状態になったときの鷹央は、なにか重要なことに気づいたのだと。

あの小さな頭の中に詰まった超高性能の脳細胞が、激しくシナプスを発火させ、不可思議な謎の裏に隠れている真実を浮かび上がらせているのだと。

まるで雷に打たれたかのように、鷹央はその華奢《きゃしゃ》な体を震わせる。虚《うつ》ろだった双眸《そうぼう》が焦点を取りもどし、瞳孔の奥に強い意志の光が灯《とも》る。

「小鳥！」

立ち上がった鷹央は覇気のこもった声を張り上げる。

「明日、御子神記念病院に行くぞ。あと、成瀬《なるせ》も呼ぶんだ」

田無署刑事課の刑事である成瀬を呼ぶということは……。

「氷魚先生がどうして亡くなったか分かったんですか？　やっぱりあれは殺人事件だったんですか？」

「その通りだ」

鷹央は力強く頷くと、拳を握り込んだ。

「氷魚先生の仇は、弟子の私が討ってやる」

## 5

「こんなところに呼び出して、いったいなんの用なんですか？」

不機嫌を隠そうともしない口調で、成瀬が言う。僕と同じくらいの身長百八十センチながら、僕よりも一回り厚みのあるその体を安物のスーツで包んでいる姿は、やはり迫力があった。少し離れた位置で車椅子に座っている御子神知奴は、怯《おび》えを含んだ眼差しをはじめて会った刑事に注いでいる。

鷹央が何かに気づいた翌日の午後八時過ぎ、僕たちは再び御子神記念病院の地下にある、カルテ庫の前までやってきていた。

僕たちの他に、成瀬、御子神鮎奈、そして御子神知奴がこの場にいた。全員、鷹央が呼び出したものだ。昨日、「氷魚先生の仇は、弟子の私が討ってやる」と宣言した鷹央は、すぐに成瀬に連絡を取った。

『刑事は出前じゃないんですよ！』

スピーカーモードにしたスマートフォンから、成瀬の怒声が響いてきたが、鷹央に「また、手柄を立てるチャンスだぞ」と思わせぶりに言われ、黙り込んだ。

一般市民である鷹央が、なにかにつけて事件に首を突っ込んでくることに、成瀬はいい思いを抱いてはいない。その一方で、これまで鷹央が事件を解決した際に、成瀬はその犯人を逮捕することで手柄を立てていた。

スマートフォン越しに響いてくるうなるような声を聞きながら、結局成瀬はやってくるんだろうなと予想していた。実績を上げて、将来的には警視庁捜査一課の刑事になることを夢見ている成瀬にとって、『手柄を立てるチャンス』を逃すという選択肢はないのだ。

僕の想像通り、成瀬は渋々といった口調で鷹央の依頼を受けた。

成瀬との約束を取り付けた鷹央は、すぐに「天医会総合病院の副院長として、大切な話がある。御子神知奴と話をさせろ」と御子神記念病院へ正式な要請をした。

鷹央個人としての要請では、知奴は話も聞かなかったかもしれない。しかし、天医会総合病院副院長としてならそうもいかなかった。

東久留米市全域の地域医療の要であり、五百床以上の病床数を誇る天医会総合病院は、規模でも医療レベルでも御子神記念病院を凌駕する。御子神記念病院で対応が難しい患者が、天医会総合病院に転院してくることも珍しくはなかった。円滑な病院経営をするためにも、知奴が鷹央を蔑《ないがし》ろに出来るわけもなかった。

それでも当初は地下に行くことを渋っていた知奴だったが、刑事がやってくること。そして、もし来なければ三十年前のカルテを徹底的に刑事と調べさせてもらうことを伝えると、狼狽《ろうばい》で飽和した声で、「分かった、行く！　行けばいいんだろ！」と怒鳴って通話を切った。

かくして、この場に役者がそろった。ちなみに昨日、鷹央がなにか閃いた場にいた鴻ノ池は、「私も行きたいです！」と言い張ったが、彼女にとっては不幸なことに、そして僕にとっては幸いなことに、今夜、当直に当たっていて来ることができなかった。

なんとか他の研修医に当直を振り替えてもらおうとしていたが、数日の猶予があればまだしも、さすがに翌日の当直を代わってくれる同僚はおらず、地団太を踏みながら『アフタヌーン』のケーキをやけ食いしていた。

僕が昨日の出来事を思い出していると、鷹央が成瀬に、「まあ、そう焦るなって。夜は長いんだから」と、軽い口調で言う。

成瀬はいかつい顔を露骨に歪めた。

「あのですね、いつもみたいになんの事件があったのか分かっているならまだしも、今夜はまったく説明もなく呼び出されたんですよ。これから何をするつもりなのかぐらい教えてください」

鷹央は「やれやれ」といった様子で大仰に肩をすくめた。

「相変わらずせっかちな奴だなぁ」

あなたがいつも謎解きのとき、もったいつけるからでしょ。僕が内心で突っ込みを入れていると、成瀬の顔がみるみる紅潮していった。

「説明する気がないなら、俺はもう帰りますよ」

「分かった分かった、そう興奮するなって。詳しい説明はあとでゆっくりするが、事件のあらましだけは教えてやろう。先々週、このカルテ庫の中で私の診断医としての師匠であり、この病院の院長でもあった御子神氷魚《ひんし》が瀕死の状態で発見され、翌日に命を落とした」

「なっ⁉」成瀬の目が大きくなる。「ここはうちの署の管轄ですが、そんな事件、聞いていませんよ」

「当然だ。氷魚先生はアミロイドーシスという難病を患っていたうえ、命を落とした直接の原因は、脳梗塞だったんだからな」

「それじゃあ、普通の病死じゃないですか？」

成瀬が額にしわを寄せる。

「ああ、当初は病死として処理された。普通に死亡診断書が書かれ、そして荼毘《だび》にふされたんだ」

「なら、それで終わりじゃないですか。なんで俺をこんなところに呼びつけたんですか？」

「もちろん、自然死に見えた氷魚先生の死が、本当は事件だったからに決まっているだろ」

「でも、その方は脳梗塞で亡くなったんですよね。それが、何者かが人為的に行ったことだと？　状況からしてはあり得ないのでは……」

成瀬のいかつい顔に戸惑いが浮かぶ。

「ああ、普通に考えたらあり得ないな。しかも、それだけじゃない。氷魚先生が発見されたとき、このカルテ庫は鍵こそかかっていなかったが、氷魚先生一人分の足跡しか残されていなかった。つまり、ここは『広義の密室』だったわけだ。状況からして、氷魚先生が脳梗塞をおこしたとき、この部屋には他には誰もおらず、発見されるまで他の者の出入りはなかったと考えられる」

「それを聞くと、ますます事件とは思えないんですが……」

「それでも、これは事件なんだ。犯人はあるトリックを使い、密室で氷魚先生を殺した。明確な殺人事件だ」

鷹央が覇気のこもった声で宣言する。あたりの空気がざわりと震えた。

「……分かりました。あなたがそこまで言うなら、話を聞きましょう。その『トリック』というのはどのようなものですか？」

前のめりになる成瀬の前で、鷹央はひらひらと手を振った。

「だから、それを説明するための準備をいまからしようと思っているのに、お前が邪魔をしているんだろ」

「なら、さっさとはじめてくださいよ」

成瀬は声を荒らげる。

「お前みたいな脳みそまで筋肉でできてるような奴には、口で説明しても理解できないトリックなんだよ。だからこそ、準備が必要なんだ。いいか、いまから私はカルテ庫に入る。中でなにをしているか、絶対に覗《のぞ》くんじゃないぞ」

「そんな、『鶴の恩返し』みたいな……」

僕がつぶやくと、鷹央はにやりと口角を上げた。

「『鶴の恩返し』じゃなく、『鷹の仇討ち』ってやつだな。小鳥、五分経ったら全員を連れて中に入れ。それまで誰も入らないように見張っておけよ」

そう言い残すと、鷹央は扉を開けて中へと入っていく。軋みを上げながら閉まった扉の向こう側から、「うわ⁉　埃っぽい！」という悲鳴とともに、激しい咳が聞こえてくる。

大丈夫なのかな……。僕がこめかみを掻いていると、隣に立っている鮎奈が「小鳥《たかな》遊《し》先生」と小声で囁《ささや》いてきた。

「今度の日曜日のお昼って、お時間ありますか？」

「え、日曜ですか。あ、はい、特に予定はありませんけど……」

「それなら、もしよかったらお付き合いしていただけませんでしょうか？」

「お、お付き合い⁉」

思わず声が大きくなってしまう。成瀬に横目でじろりと睨まれ、僕は慌てて口を押さえた。

「あ、あのお付き合いというと……」

「実は日曜に、叔母の遺言状を公開するんです。それに、天久先生に立ち会っていただきたくて。あとで、小鳥遊先生から天久先生にお伝えいただけますでしょうか」

「……あ、そういうことですか」

急上昇していたテンションが、ジェットコースターのごとく急降下していく。

「遺言書があったんですね。けど、いまごろ公開されるんですか？」

アミロイドーシスにより、残された時間がわずかであることを自覚していた氷魚が遺言書を用意しているのは自然だが、普通は葬儀が終わったらすぐに発表されるものではないだろうか？

「実は昨夜、急に弁護士がうちの病院にやってきて、叔母の遺言書を預かっていると伝えてきたんです。このタイミングで発表するよう、叔母に指示されていたということでした」

「それで、日曜日に親戚を集めて内容を確認するんですね。そんなところに、鷹央先生がお邪魔していいんでしょうか？」

厳粛な場で、鷹央がおかしなことをしださないか不安だった。

「叔母が天久先生の立ち会いを望んでいたんです。天久先生を呼ぶことも、叔母の遺志でした。というか、天久先生が立ち会うまで、遺言書の公開は許されないということです。つまり、私たちは天久先生抜きでは、叔母の遺言の内容を知ることもできなくて……」

「それはなんと言うか……、不思議な条件ですね」

なぜ氷魚は、鷹央の立ち会いが必要だと考えたのだろう。そこになにか、この事件の謎を解く手がかりがあるような気がした。

「……私、天久先生に嫉妬しています」

唐突に鮎奈が言った。僕は「嫉妬？」と聞き返す。

「そうです。母を早くに亡くした私にとって、叔母は母親のようなものでした。たしかに変わった人で、相手の感情を読むことだけでなく、自分の感情を伝えることも苦手でしたけど、愛情だけはすごく感じていました。だから子ども心に、私だけが叔母のことを誰よりも理解していると思っていました。けど、ある日、その立場は奪われました」

「……鷹央先生にですね」

僕の言葉に、鮎奈は頷いた。

「はい。医学生の天久先生に出会ってから、叔母は私によく、天久先生のことを話してくれるようになりました。そのときの叔母はとっても嬉《うれ》しそうで、私にはそれが……妬ましかった。母親を奪われた子どものような気持ちになりました」

「それは、鷹央先生と氷魚先生が同じ特性を持っているからで……」

つらそうに語る鮎奈を慰めようと、僕はフォローする。しかし、鮎奈の表情に浮かぶ哀しみは、希釈されるどころか、その濃度を上げていった。

「分かっています。私と叔母は、本質的に大きく異なる存在なんだと。私が叔母のことを心から理解することは不可能だったって。だからこそ、叔母は私ではなく、天久先生を『仲間』として心の底から信頼し、そして自分の死んだ後のことを任せたんだって」

鮎奈は目元を覆うと、力なく首を左右に振った。

「最後まで、叔母は私のことを信頼してくれなかった。叔母にとって、私は『異質』な存在でしかなかったから。叔母を迫害してきた人たちと同じ存在……」

僕も鷹央先生にとって、『異質』で信頼できない存在なのだろうか？

うなだれる鮎奈を眺めながら、頭にそんな疑問が湧いてくる。

この一年間、鷹央とともに様々な事件を解決してきた。死線に立たされるような窮地を、力を合わせて乗り越えてきたという自負はある。

けれど、僕が鷹央のことを完全に理解しているかというと、そんなことは決してない。その類まれなる知性と引き換えに、一般的な人々が持つ、他人と接するために必要な能力を持たずに生まれてきた鷹央。彼女にとって僕は、どこまでいっても『異質』な存在、心の底から信頼することはできない存在でしかないのかもしれない。

胸の奥に疼《うず》きをおぼえながら、僕は腕時計を見る。鷹央がカルテ庫に入ってから五分が経過していた。

「……時間です。行きましょう」

張りのない声で促した僕に、成瀬は訝しげな視線を送りつつ、その大きな手でノブを摑んで勢いよく扉を開く。

蛍光灯は消えていた。その代わりに、プラスチック製のケミカルライトが点々と奥に続く通路に転がっていた。

「……あの人は怪談でもはじめるつもりなんですか？」

顔をしかめた成瀬を先頭に、僕たちは薄暗い通路を警戒しつつ進んでいく。知奴も車椅子の車輪を操作して、最後尾をついてきた。

突き当たりまで進み、左側にL字型に続いている通路を見る。そこにも棒状のケミカルライトが橙《だいだい》色の明かりを灯していて、その奥、床に山積みになっている紙カルテの手前に鷹央が立っていた。

「いったい、このライトはなんのつもり……」

近づこうとした成瀬に向かって、鷹央は「近づくな！」と鋭く言う。成瀬の体が震え、足を一歩踏み出した姿勢で動きを止める。

「お前たちはここに近づくんじゃない。そこで私の説明を聞くんだ」

「ここでって、どうしてですか？」

僕が訊ねると、鷹央は「危険だからだ」と低い声で答える。

「この部屋では氷魚先生の命を奪った罠がまだ発動している」

「氷魚叔母さんの命を奪った罠⁉」

目を瞠《みは》る鮎奈の言葉に、鷹央は重々しく頷いた。

「そうだ。ここに仕掛けられたトラップ、それにより氷魚先生は殺されたんだ」

「なにを言っているんだ！　他人に脳梗塞を起こす罠なんてあるわけがない！」

知奴が張り上げた声が、狭い空間にこだまする。

「そう興奮するなよ。いまから全てを説明してやるから。この罠を作った人物の正体も含めてな」

鷹央は押し殺した声で言うと、「では、はじめよう」と胸の前で両手を合わせた。

「まず、今回の事件で重要な点は、床に残されていた足跡から、被害者である氷魚先生が倒れたとき、この部屋には他には誰もいなかったと思われることだ。そのことは、防犯カメラの映像で事件の三日前から誰も、このカルテ庫に入っていないことにより確認できている。また、その映像から事件後の三日間も、誰も出入りしていないことが判明した」

鷹央は「さて」と言うと、顔の横で左手の人差し指を立てた。

「最初のミステリ小説と呼ばれている『モルグ街の殺人』以来、二百年近くで無数の密室殺人事件が描かれてきたが、それらは大きく二つに分けられる」

鷹央は中指も立て、左手でピースサインを作った。

「犯人により意図的に作られた密室と、偶然生じた密室だ」

「あのですね天久先生、俺たちはミステリ小説の解説を聞きに来たんじゃないんです。現実に起きた事件の話に戻してもらえませんかね」

成瀬が呆れ声で言うと、話の腰を折られた鷹央は目付きを鋭くする。

「本というのは知識の宝庫だ。そしてここでは現実に密室殺人が起きたんだ。それを解決するために、綿々と続いている推理小説の知識を使うのは当然だろうが。ミステリ小説を、殺人を題材にした文学性の薄い低俗な小説と嘯《うそぶ》く奴らがいるが、そいつらの思想は浅薄と言わざるを得ない。例えば……」

「鷹央先生、意図的に作られた密室は分かるんですが、偶然生じた密室というのは、どういう意味ですか」

僕は声を張り上げ、ミステリ小説談義をはじめかけていた鷹央を本題に戻そうとする。

鷹央が数回まばたきしたあと、「ああ、その話だったな」と言ったのを聞いて、僕は胸を撫でおろした。

「つまり、犯人が意図しないのに何らかの偶然により、現場が密室になってしまい、その結果、不可解な現場状況になってしまったケースだな。例えば、犯人に刺された被害者が、部屋に逃げ込んで鍵をかけ、そのまま絶命してしまうようなパターンなどだ」

「叔母もそうだったというんですか……？」

いまいち鷹央の話についていけていない様子の鮎奈が、躊躇いがちに訊ねる。鷹央は「いいや」と首を横に振った。

「防犯カメラの映像では、少なくともこの部屋に入ったときの氷魚先生の足取りは正常だった。脳梗塞による麻痺などの症状も全くなかった」

鷹央は大きく手を広げる。

「じゃあ、今回の件は『意図的に作られた密室』ってやつなんですかね？」

頭を掻きながら、興味なげに成瀬が言った。

「良い質問だ」鷹央は指を鳴らした。「犯人が意図的に密室を作る場合、なぜそんなことをするのか、その理由が重要だ。知りたいだろ？　なあ、知りたいよな？」

成瀬は「いや、別に……」と渋い顔になるが、鷹央はかまわず喋り続ける。

「まず、現場を密室にする主な理由は二つ。一つは被害者の発見を遅らせること。その間に逃亡したり、証拠を隠滅したりするためだ。ただ、これはわざわざ密室を作る必然性が低い。密室を作る犯人にとっての最大のメリット、それは……」

鷹央はもったいをつけるように一拍置いたあと、再び左手の人差し指を立てて告げる。

「被害者が殺されたと気づかれないことだ」

「殺されたと気づかれない？」

意味が分からなかったのか、鮎奈が聞き返すと、鷹央は「そうだ」と頷く。

「誰もいない、誰も出入りできないはずの部屋で人が死んでいたら、どう思う？」

「どう思うって、病気か事故か、そうでなければ……自殺だって」

「その通りだ！」

鷹央はいきなり大きな声を上げる。鮎奈の体がびくりと震えた。

「普通は密室で人が死んでいたら、よほど露骨な殺人現場でない限り、被害者が殺されたなんて思わないんだよ。それは事件にならないんだ。そして、事件にならなければ警察が本格的に犯人を捜すこともない。形だけの実況見分をして終わりか、そうでなければ病死としてそのまま処理される。氷魚先生のようにな」

「氷魚叔母さんのように……」

鮎奈は呆然《ぼうぜん》とつぶやくと、前のめりになる。

「本当に叔母さんは殺されたんですか⁉　誰かが氷魚叔母さんを殺して、いまものうのうと逃げのびているんですか⁉」

「その答えを出すためには、まず犯人がどのようにしてこの密室を作ったのかを考える必要がある」

興が乗ってきたのか、鷹央の声が楽しげになってくる。

「まず、実は犯人がずっと密室内に隠れていたというケースだ。しかし、犯行前後の一週間この部屋に出入りした人物がいないことを考えると、それは考えづらい。次は、実は被害者が襲われたのがここでない場合だ」

「襲われたのがここでない？」

成瀬の鼻の付け根にしわが寄る。

「その被害者がこの部屋に倒れていたのは、間違いないんじゃないですか？」

「ああ、それは間違いない。しかし、倒れていたときに本当に致命的な脳梗塞を起こしていたとは限らない。麻酔薬や鎮静薬で昏睡状態になっていただけかもしれないし、犯人にそのかされた氷魚先生が何らかの理由で仮病を使っていたのかもしれない。だが、それも発見者が診断医であることから考えにくい。なあ、氷魚先生を発見したとき、神経所見をとったんだよな？」

鷹央に質問された鮎奈は「もちろんです」と即答する。

「対光反射も異常でしたし、明らかに左半身に片麻痺が出ていました。あの時点ですでに脳梗塞を起こしていたのは確実です」

「それなら、この仮説は違うということになるな。カルテ庫に入ってから、発見されるまでの間に、氷魚先生は脳梗塞を起こしたというわけだ」

鷹央が言うと、「なんなんだ、この茶番は！」という怒声がうす暗い空間に響き渡った。振り返ると、これまで黙って話を聞いていた知奴が、般若のように表情を歪めていた。

「さっきから的外れなことばかり言って。全部間違っているじゃないか。ガキのままごとに付き合っているひまはないんだ！」

「いまは様々な仮説を出して、そのなかであり得ないことを消去していくことで真相に近づいているんだ。シャーロック・ホームズもこう言って……」

「俺は下らないミステリじゃなく、現実の話をしているんだ！」

至極まっとうなセリフで鷹央の言葉を遮ると、知奴は「付き合ってられるか！」と吐き捨てて、車椅子を回転させようとする。

「逃げるのか」

鷹央の放った一言に、車輪を動かしかけていた知奴の手が止まる。

「……どういう意味だ？」

振り返った知奴は、怒りで燃える双眸を鷹央に向けた。

「そのままの意味だよ。この病院の院長が亡くなり、そしてお前が新しい院長に就任する方向で話が進んでいる。つまり、氷魚先生の死で最も利益を得たのはお前だということだ。そして、お前は氷魚先生に対して憎悪を抱いていた。知能でも人格でも、妹の氷魚先生の足元にも及ばなかったからだ」

「ふざけるな！　俺が氷魚を殺したとでもいうのか？　俺はこんな体なんだぞ！　しかもあの日、俺はこのカルテ庫なんて来ていない。それで、どうやって氷魚を殺せるって言うんだ！」

「それをいまから説明するんだ。自分が犯人でないと主張するなら、ぐだぐだ言わないで、黙って私の話を聞け」

鷹央に一喝された知奴は、不貞腐《ふてくさ》れたように唇を歪めながらも、黙って車輪から手を放した。

「ったく、さっきから邪魔ばかり入る。では、話を戻すぞ。氷魚先生がカルテ庫内で脳梗塞を起こした場合、密室を作る方法はさらに二つのケースに分けられる」

鷹央は再び左手でピースサインを作った。

「一つは犯人が犯行前後に、このカルテ庫に出入りしていたケースだな」

鷹央が中指を折りたたむと、成瀬が首を捻った。

「どういう意味ですか？　密室なら出入りはできないでしょ」

「そう、本当の密室なら出入りはできない。つまりこれは、密室だと思われた空間が、実際は密室ではなかったケースだな。例えば、どこかに秘密の抜け穴が隠されているとか」

「秘密の抜け穴？」

僕は辺りを見回す。紙の束が詰まった棚が一面に広がった部屋。たしかに、どこかに抜け穴があってもおかしくはないような気がする。

「本当にそんなものがあるんですか？」

鮎奈が訊ねると、鷹央は「さあな」と肩をすくめた。鮎奈の顔に拍子抜けしたような表情が浮かぶ。

「設計上、このカルテ庫に接している空間は、ＣＴ室、ＭＲＩ室、上の階にある院長室、そして……霊安室だ」

「霊安室……」

僕は振り返って、すぐそばにそびえ立っている棚を見る。おそらくその棚と壁の奥に、事件当時に遺体が安置されていた霊安室があるはずだ。

僕の脳裏に、棺桶《かんおけ》から這《は》いだしてきた遺体が壁の隠し扉を開き、薄暗い部屋に這入《はい》ってくる光景が映し出される。そのとき、鮎奈が「あ、あの……」と、おそるおそる鷹央に声をかけた。

「あの日、霊安室にあったご遺体がどんな患者さんのものだったのか、今日の昼に調べがつきました。外科に入院していた肝臓がんの患者さんで、事件の日の未明に亡くなったということです」

鮎奈が「お伝えするのが遅くなって申し訳ありません」と首をすくめるのを見ながら、僕の頭で思考が回っていく。

たしか、知奴はくも膜下出血を発症するまでは、外科の部長を務めていた。その外科の患者の遺体が、あの日、隣の霊安室にあったのは果たして偶然なのだろうか？

ふと、僕は重要な情報が抜けていることに気づく。

「あの、鮎奈先生。そのご遺体がどんな状態で安置されていたのかは分かっていますか？」

「はい、ご親戚が北海道にしかいなくて、駆け付けるのに二、三日かかるということで、先に葬儀社に依頼が入って、ご遺体を棺に入れてドライアイスで冷やす処置をしていたそうです」

「ドライアイス……」

ドライアイスは二酸化炭素を冷やして固めたものだ。溶けると、二酸化炭素の気体となり、空気より重いので床や、容器の底に溜まる傾向にある。

高濃度の二酸化炭素を吸うと、中毒症状を起こすことがある。二酸化炭素濃度が三パーセントを超える環境に晒《さら》されると、人は頭痛やめまい、吐き気などの中毒症状が生じ、七パーセントを超えると意識障害が起き、そのまま命を落とすことも少なくない。

発見当時、氷魚は床に倒れていた。それはもしかして、二酸化炭素中毒で意識を失っていたからではないだろうか？

そこまで考えたところで、思考が袋小路に突き当たる。

鮎奈は発見当時、氷魚に片麻痺の症状が出ていたという。体の左右どちらかだけに麻痺症状が生じる片麻痺は、脳梗塞などの中枢神経の障害で起きる。

二酸化炭素中毒だったとしたら、片麻痺が起きていたことに説明がつかない。それに、その後に行った血管造影では明らかに中大脳動脈が閉塞をしていた。二酸化炭素が原因では、どうして血管が詰まったのか、まったく分からない。

「それじゃあ、この部屋に隠し扉があるって天久先生はおっしゃるのですか？」

鷹央の密室談議に辟易しているのか、成瀬が乱暴な口調で言う。

「それにかんしては、現時点では何とも言えないな。隠し扉があるかないかを判断するためには、この部屋を徹底的に調べる必要があるが、それをする時間はなかった。というわけで、『隠し扉による密室』は保留にして、次の可能性を検討しよう」

「保留って……」

成瀬が文句を言おうとするが、その前に鷹央は説明をはじめてしまう。

「次は最も単純なトリックだな。第一発見者が犯人というパターンだ」

「第一発見者……」

僕はかすれ声でつぶやきながら、隣に立つ鮎奈を見る。薄暗いこの空間でも、彼女のこわばった横顔から血の気が引いていくのが見て取れた。

「防犯カメラの映像では、氷魚先生がカルテ庫に入り、その約一時間後に御子神鮎奈が続き、さらに五分ほどしてから総合内科の医局員数人が駆け付けて、氷魚先生をカルテ庫から運び出していることが分かる。つまり、その五分間で御子神鮎奈が氷魚先生に何らかの方法で脳梗塞を起こさせ、それから医局員を呼んだとしたら辻褄《つじつま》があう」

「わ、私はそんなことはしていません！」

上ずった声で叫ぶ鮎奈を、成瀬がじろりと睨む。その迫力に、鮎奈は二、三歩後ずさった。

「天久先生、こちらの方が犯行を行ったという証拠はあるんですか？」

「そんなものないぞ」

あっさりと鷹央が放った一言で、辺りに満ちていた緊張感が一気に弛緩《しかん》した。

「ふざけないでください！　あなたはいったいなにがしたいんですか！」

成瀬の怒声を浴びた鷹央は、面倒くさそうに小指で耳の穴をほじった。

「だから、さっきから言っているだろ。いまは仮説をリストアップしているだけだ。御子神鮎奈が犯人だとしたら密室の謎は解けるが、そうだと断定できるような証拠は皆無だ。なので、これもさっきの『抜け穴トリック』と同様に、保留とする。さて、それでは最後のケースだ」

勝手に話を続けていく鷹央にあきれ果てたのか、それとも諦めたのか、もはや成瀬もなにも言わなかった。

「次は現場が本当に完全なる密室で、犯人がそこに出入りしていないケースだ」

「密室で犯人が出入りしていないなら、中の人間を殺せるはずがないだろ」

知奴が声を荒らげる。

「密室の外から、何らかの方法で中にいる者を殺害するのが、この場合の密室トリックなんだ」

得意げに鷹央が言うと、知奴は大きく舌を鳴らした。

「どうやって、部屋の外から、中にいる人間に脳梗塞を引き起こせるって言うんだ。いや、そもそも密室うんぬん関係なく、意図的に他人に脳梗塞を起こすことができるわけがないだろ」

「それだ！」

突然、鷹央が声を張り上げる。知奴は車椅子の上で軽くのけぞった。

「それだって、どういう意味だ？」

「この密室を作る方法はいくつも考えられ、そこから事件の真相に導くのは困難だ。だが、外部から人の中大脳動脈を閉塞させ、致命的な脳梗塞を引き起こす方法を解き明かすこと、それこそが、今回の事件の密室トリックをあばく一番の近道になる。私はそう考えたんだ」

「私は医学については素人ですが、狙った相手に脳梗塞を起こすことなんて可能なんですか？」

成瀬が疑わしげに訊ねると、知奴が「不可能だ」と声を上げた。

「造影室で血管を透視しながら、脳までカテーテルを進めている状況ならまだしも、こんな何の設備もない部屋で意図的に他人に脳梗塞を起こすなんて出来るわけがない」

造影室……。知奴の言葉を聞いて、僕の頭の中に地下の見取り図が浮かぶ。

このカルテ庫から廊下を挟んだ向かい側は、造影室になっている。そこだったら、造影剤で血管を映し出しながら、心臓や脳までカテーテルを進めることが可能だ。

もしかしたら、氷魚は造影室で中大脳動脈を塞栓剤によって詰まらせられ、その後に何らかの方法でこのカルテ庫に運ばれたのだろうか？

僕が額に手を当てていると、成瀬が大きくかぶりを振った。

「だとしたら、やっぱりその人は普通に病死だったということになりませんか？」

「ああ、他人に脳梗塞を引き起こす方法が分からず、この密室の謎が解けなければ、必然的に氷魚先生は病死であったという結論になるな」

「なら、どうしてわざわざ俺を呼び出して、こんな茶番劇を見せつけているんですか？」

「落ち着けよ、『謎が解けなければ』と言っているだろ」

鷹央は唇の端を上げると、成瀬はすっと目を細める。

「謎が解けたってことですか？　本当にここで殺人事件が起きたと」

「その通りだ！」

鷹央は高らかに言い放つ。

「これは極めて綿密に、そして長い期間をかけて計画された殺人事件だ。この部屋自体が罠だったんだよ。氷魚先生を殺すためだけに、膨大な金と労力を費やして作られたトラップだ。この部屋には『力』が満ちている。氷魚先生を殺害した『力』がな」

「力？　どういうことですか？　それが、ガイシャを脳梗塞にしたって言うんですか？」

話が核心に迫っていることを感じたのか、成瀬が一歩足を踏み出す。

「そうだ。この部屋に満ちているその『力』が、氷魚先生の心臓内で巨大な血栓を生み出し、それが血流にのって脳へと飛んで、中大脳動脈を閉塞したんだ」

「その『力』って何なんですか？　なにが氷魚叔母さんの命を奪ったんですか⁉」

鮎奈が喘《あえ》ぐように訊ねると、鷹央は白衣のポケットから小さな巾着袋を取り出し、その中身を掌の上に載せた。この薄暗い空間では、それは単なる砂にしか見えない。

「これは砂鉄だ。よく理科の実験なんかで使うやつだな」

そう言うや否や、鷹央は自分の背後に向けて、砂鉄の山を放り投げた。天井近くまで上昇した砂鉄は、ケミカルライトの淡い光をキラキラと乱反射しながら、落下してくる。その光景は、まるで光の雨が降っているかのようだった。

次の瞬間、光の雨の一部が、唐突に風に吹かれたかのように空中を移動した。それらは、鷹央の背後にある棚、その奥にある壁に向かって吹き付けられ、落下することなく付着する。

壁にできた三十センチ四方ほどの砂鉄の窓を背に、鷹央は人差し指を立てた左手を、指揮者のように振った。

「これが氷魚先生の命を奪った『力』。この事件の凶器。すなわち……磁力だ」

＊

「磁力……」

僕はいまだに壁に貼りついている砂鉄を眺めながら、呆然とつぶやく。

「そうだ。この壁からは強力な磁力が発生している。それこそが、密室トリックの根幹だ」

「磁力って、磁石とかが出すものですよね」

額に手を当てながら、成瀬が声を上げた。

「けど、そんなもので人が死んだりするんですか？」

「普通の人間ならどれだけ磁力を浴びようが、特に問題はない。しかし、稀《まれ》に磁力による死亡事故が起きることがある。体内に磁性体が入っている者たちが、強力な磁力に晒されたケースだ」

鷹央の説明を聞いた鮎奈が、「あっ」と声を上げる。

「ペースメーカー！」

「そうだ！」鷹央は指を鳴らした。「氷魚先生はアミロイドーシスによる危険な不整脈を起こした既往があったので、心臓ペースメーカーを挿入していた。最近のペースメーカーには磁性体を排除したものもあるが、一般的には鉄などの磁石にくっつく物質が使用されており、強い磁力は禁忌になっている」

「ペースメーカーってたしか、心臓に使う医療機器ですよね。なんでそれで脳梗塞が起きるんですか？」

混乱しているのか、成瀬はしきりに頭を振る。

「ペースメーカーのリード線は心臓内に通っている。そのリード線が強力な磁力を浴びると高熱を帯びることがある。きっと氷魚先生の体内では、リード線の周りの血液が熱で凝固して巨大な血栓が生じ、それが脳に飛んで中大脳動脈に詰まったんだろう」

「……犯人はそれを意図して行ったと？」

「いいや、犯人の計画ではもっと直接的に、磁力によりペースメーカーが動いて、心臓を破壊する予定だったんじゃないかな。ペースメーカー使用者の磁力による死亡例は、ほとんどの場合、直接的な心臓の損傷だ。脳梗塞が起きたのは犯人にも予想外だった可能性が高い。ただ、ペースメーカーが挿入されている心臓ではなく、人工物が存在していない氷魚先生の脳に障害が起きたことで、事件の真相に迫るのがさらに困難になった。そのせいで、天才の私でも、この『凶器』になかなか気づけず、苦労したよ」

わざとらしくため息をついた鷹央に、僕は「どうやって気づいたんですか？」と訊ねる。鷹央の顔にいたずらっぽい笑みが浮かんだ。

「お前の食い逃げ未遂のおかげだ」

「食い逃げ……」

成瀬がじろりと視線を向けてくる。僕は慌てて「違います。ちゃんと払いました」

と胸の前で両手を振った。

　刑事の前で、誤解されるようなことを言わないでくれ。

「数日前、このカルテ庫を小鳥と調べた帰り、ファミレスに行ったら、会計のときに小鳥のクレジットカードが反応しなくて困ったんだよ。そして後日、銀行のカードも使用不能になっていたことが分かった」

「あれってまさか……」

　僕が声を上げると、鷹央は「そのまさかだ」とあごを引く。

「ここで強烈な磁力を浴びたからだ。カード類は磁力を浴びると使用不可能になるものが多い。クレジットカードだけが使用不能になるなら、たんなる偶然と思われるが、同時期に二つのカードが使えなくなっていたということは、なにか原因があるはずだ。そこで私は、磁力こそが氷魚先生の命を奪った『凶器』であり、今回の事件は壁を貫通させてそれを当てることによる密室殺人だと気づいたんだ」

　鷹央は満足げに胸を張ると、両手を大きく広げた。

　なにか、説明を終えたような雰囲気になっているが、まだ重要な謎がこの事件には残っている。まずは……。

　僕がそこまで考えたとき、鮎奈が口を開いた。

「でも、どうしてそんな強力な磁力がその壁から出ているんですか？　大きな磁石が埋まっているんですか？」

それはまさに僕の頭に浮かんだ最大の疑問だった。

一転して渋い表情になった鷹央は、「そんなわけないだろ」と手を振る。

「永久磁石ではこんな強力な磁力が出せない。これは電磁石によるものだ」

「じゃあ、壁の中に電磁石の装置が埋め込まれていると？　けれど、電磁石はすごく電力を消費します。配線とか電気料金で気づくはずです」

「違う違う、この壁にはそんな大仰な仕掛けはない。磁力を発しているのはこの壁じゃない。その奥にある装置だ」

「その奥にある装置……」

つぶやきながら、僕はこの地下の見取り図を頭の中に思い描く。この壁の向こう側にあるのは……。

「ああっ⁉」

目を見開いた僕の口から、おどろきの声が漏れる。

「ようやく気づいたようだな。言ってみろ」

目を細めた鷹央にうながされた僕は、ゆっくりと口を開く。

「ＭＲＩ……。隣にあるＭＲＩ室から漏れた磁力です」

「正解だ」

鷹央は柏手《かしわで》を打つかのように、胸の前で両手を合わせた。

「ＭＲＩ？　それって、ＣＴみたいな、体の中身の写真を撮るやつでしたっけ……？」

医療従事者ではない成瀬は自信なさげに訊ねる。

「ＣＴとＭＲＩはたしかにどちらも体の内部を調べるものだが、その原理は全く違う」

鷹央は顔の前で左手の人差し指を立てながら解説をはじめた。

「ＣＴは放射線を連続して照射することにより、体の断面像を撮影する。簡単に言えばレントゲン写真を大量に撮るようなものだな。一方でＭＲＩは強力な磁力により体内の水分などに含まれる水素原子に共鳴を起こし、それによって生じる電磁波を測定することで体内の画像を描出するものだ」

「はあ、なるほど……」

専門的な内容に、成瀬は生返事をする。おそらく、ほとんど理解していないだろう。

「でも、いまも磁力が生じているということは、こんな時間なのに誰かＭＲＩの撮影をしているんですか？」

「いいや、違う。撮影するときだけ放射線を照射するＣＴとは違い、ＭＲＩは撮影していないときにも強力な磁力を発している」

鷹央は左手の人差し指をメトロノームのように左右に振った。

「MRIは、内部でコイル状になっている磁石を液体ヘリウムでマイナス二百七十度という絶対零度に近い低温で維持することで超電導状態を保ち、磁力を生み出している。よって、その磁力を切ることはできないんだ」

「つまり、MRIは二十四時間、でっかい磁石みたいな状態ってことですね」

雑なまとめ方をした成瀬に、鷹央は「まあ、そんな感じだ」とあごを引く。

そんな感じでいいんだ……。

「それゆえ、誤って撮影室に持ち込んだ磁性体がMRIにくっついて取れなくなるという吸着事故が全世界で多発している。MRIにおける死亡事故は主に、体内の磁性体による傷害ではなく、吸着事故によって物理的に患者やスタッフが大怪我をしたケースの方が圧倒的に多い」

「そんな人が死ぬようなものがくっつくんですか?」

成瀬が目を大きくすると、鷹央は肩をすくめた。

「誤って持ち込んだ酸素ボンベぐらいなら、弾丸のように宙を飛んでいくぞ。それどころか、百キロ以上の重さがあるベッドが吹っ飛んで、患者ごと装置を押しつぶしたなんていう事件すら海外では起きている」

想像を絶するＭＲＩの磁力に、成瀬の顔が引きつった。

「でも、撮影室ならまだしも、隣の部屋までＭＲＩの磁力が届いて事故が起きるなんて聞いたことがありません」

鮎奈が疑問を放つ。

「ＭＲＩ室は基本的に磁力が外に漏れないよう、壁に磁気シールドを設置している。だからこそ、部屋の外に影響はないんだ」

「じゃあ、そこだけ……」

鮎奈は砂鉄が貼りついている壁を指さす。

「そうだ、ここだけ磁気シールドが施されておらず、隣の部屋に設置されているＭＲＩからの強力な磁気が溢《あふ》れだしているんだ」

壁に触れながら鷹央が言うと、成瀬の表情が険しくなった。

「それは施工ミスなどではないですよね？」

「壁全体に施工するのが当然の磁気シールドがこんな一部だけ、しかもちょうど成人の胸あたりの位置で空いているなど、ミスのわけがない。これは意図的に作られた砲口だ。ここから噴き出す磁気を氷魚先生のペースメーカーに当てて、殺害するためのな」

「誰なんですか！」鮎奈が叫ぶ。「いったい誰が氷魚叔母さんにそんなことをしたんですか⁉」

「おそらく、この磁気シールドの穴は三年前のこの建物の建設と同時に作られたものだ。となりをほとんど人が入らないカルテ庫にしたのも、その人物の指示だろう。その証拠に、このカルテ庫の棚は全て木製で、磁気に反応するものはいっさい置いていない」

「ということは、犯人はこの病院の関係者ですね。しかも、改装計画に口を出し、施工業者に特殊な指示を出せるほどの権力を持った人物」

僕がつぶやくと、鷹央は「さらに……」と言葉を続ける。

「せっかくこんな自動で作動する完璧な罠を準備したなら、事件当日はこのカルテ庫はおろか地下にも近づかず、鉄壁のアリバイを用意したはずだ」

そうなると、あの日、カルテ庫に駆け付けた鮎奈や総合内科の医局員は除外される。

僕の頭の中にある人物が浮かんできた。

「犯人は当然、ここまで年月と労力をかけてまで殺したいほど、氷魚先生を恨んでいた。以上の条件に当てはまる人物は一人しかいない」

鷹央はそこで言葉を切ると、この場にいる一人をびしりと指さす。

「お前だ、御子神知奴！　お前こそが氷魚先生を殺した犯人だ！」

「な、ち、違う。俺は関係ない！」

助けを求めるように視線を彷徨わせながら、知奴は震える声で言う。

「いいや、お前しかあり得ない。子どもの頃から妹と比較されて劣等感を募らせ、さらに院長の座まで奪われたお前は、氷魚先生に殺意を抱いていた。しかし、脳卒中により障害を負ったお前は、直接手を下すことはできなくなった。それでお前はこの計画を立てたんだ。ＭＲＩから漏れる磁気で、自らの手を汚すことなく氷魚先生の命を奪う計画をな」

鷹央に糾弾された知奴は、もはや血の気の引いた顔を左右に振ることしかできなくなっていた。

「あの日、お前は協力者でも使って、氷魚先生に吹き込んだんだろう。このカルテ庫に保管されている、平成元年の診療記録に、お前の過去の悪行が記されていると。自分の死後、お前が金儲けのために詐欺的な医療をこの病院で行うことを恐れていた氷魚先生は、それを聞いてすぐさまここにやってきた。ここが、自分を殺すために作られた罠だとは気づかずにな」

鷹央は悔しげに拳を握りしめる。

「そして、この棚の診療記録を必死に調べる氷魚先生の胸に埋め込まれているペースメーカーは、隣の部屋のＭＲＩから漏れてきた磁気に反応し、心臓内のワイヤーが発熱しはじめた。その後は、さっき言った通りだ。熱により血液が凝固してできた血栓が中大脳動脈に詰まり、脳梗塞により氷魚先生は命を落としたんだ。まさに完璧な犯行だったよ。氷魚先生が、もしものときのことを私に頼んでいなかったらな」

説明がつかれたのか、それとも師匠の遺志にこたえることができた安心感からか、鷹央は大きく息をつく。

「ふ、ふざけるな！　俺がそれをしたっていう証拠でもあるのか？　それがなきゃ、全部お前の下らない妄想に過ぎない」

「証拠？　そんなもの警察が調べればすぐに見つかるさ。この壁の磁気シールドを請け負った業者に聞き込みをすればいい。そうすれば、誰が磁気シールドを一部だけ空けたのか証言してくれるさ」

「だったら、さっさとすればいい。俺はなんにもしていないんだから。いいか、俺が無関係だって分かったら、名誉棄損でお前を訴えてやるからな！」

唾を飛ばしながら、知奴は大声でまくし立てる。しかし、鷹央は「そのときは好きにしろ」と気にするそぶりも見せなかった。

「後悔しても遅いぞ。お前を破滅させてやるからな！　そもそも……」

「まあまあ、落ち着いて」

さらに叫び続けようとした知奴の肩に、成瀬は大きく分厚い手を置く。それだけで、知奴の顔に恐怖が走った。

「こんな埃っぽいところで話すのはなんですから、どこか落ち着けるところに行きませんか？」

「た、逮捕する気か？　そんなことをすれば、誤認逮捕でお前を……」

「そんなことはしませんって。逮捕するなら、しっかりと証拠を固め、裁判所から令状を取って、なんの予告もなくご自宅にうかがいます」

成瀬は微笑を浮かべるが、その目だけは獲物を前にした猛獣のような輝きを放っていた。知奴の体に細かい震えが走りはじめる。

「あなたはこの病院の副院長なんですよね。でしたら、個人のお部屋をお持ちでしょう。そこで、少しだけお話をうかがえますかね」

成瀬はそう言うと、知奴の答えも聞かずに車椅子の後方についているハンドルを摑んだ。

「待て！　待ってくれ！　これは誤解だ。大きな間違いだ！」

悲鳴じみた声を上げながら、知奴は成瀬に車椅子を押されて出入り口へと連れていかれる。成瀬は扉を開け、知奴とともにカルテ庫から出ていった。扉の閉まる重い音がかび臭い空気を揺らした。

「……終わったな」

疲労の滲む声で言いながら、鷹央がこちらに近づいてくる。その顔には、濃い疲労と安堵《あんど》がブレンドされた表情が浮かんでいた。

師匠の遺志にこたえなくてはという、強いプレッシャーからようやく解放されたのだろう。

「一件落着ですか？」

「ああ、そうだな。あとは成瀬がうまくやってくれるだろう」

鷹央は暗い天井を仰いだ。

「これで良かったんだよな、氷魚先生」

鷹央は虚空に向かってつぶやきながら、目を細める。きっとそこに、師との思い出を見ているのだろう。

「でも……」

衝撃な展開に呆然《ぼうぜん》自失で黙り込んでいた鮎奈が、ぼそりとつぶやいた。

「本当に、叔父が氷魚叔母さんを殺したんですか？」

「なに言っているんだ。こんな仕掛けを作れるのはあの男だけだし、あの男には氷魚先生を殺す動機があった。あいつ以外に犯人はあり得ないだろ」

達成感に浸っているところに水を差されたせいか、鷹央は不満げに眉を顰めた。

「そもそも叔父がいま氷魚叔母を殺す理由って、あるんでしょうか……」

「なに言っているんだよ。お前が言ったんだろ。御子神知奴は氷魚先生を恨んでいたし、あの男の計画にとって氷魚先生が邪魔だったって」

「そうなんですけど……」

鮎奈は少し口ごもったあと、意を決したように話しはじめる。

「あのあと考えてみたんです。叔父が人を殺したりするかって。たしかに、叔父は叔母に強い恨みをおぼえていましたし、氷魚叔母さんの存在が邪魔だったはずです」

「なら……」

反論しかけた鷹央を、鮎奈は「でも」と遮る。

「叔母の、氷魚叔母さんに残されていた時間は、たった半年程度だったんですよ」

鷹央の目が大きくなる。その口が半開きになった。

「叔父は人格的に問題がある人ですけど、馬鹿じゃありません。それどころか、かなり計算高い人物です。そんな人が、どれだけ用意周到に罠を仕掛けたとはいえ、人を殺したりするでしょうか？　そんなことをしなくても、半年後には叔母は亡くなって、この病院の方針を好きに決められる権力を得ることができるのに、わざわざ全てを台無しにするようなリスクを取るでしょうか？」

たしかに言われてみればその通りだ。ただ半年待てば、知奴はノーリスクで目の上のたんこぶがいなくなる状況だったのだ。

普通に病死するのではなく、自らの手で妹の命を奪いたかったのだろうか？　しかし、それならこんなまどろっこしく、とてつもない労力が必要なトリックなど使わず、もっと直接的に手を下す方法を考えるだろう。

どうにもしっくりこない。

様子をうかがうと、鷹央も眉間に深いしわを刻んで考え込んでいた。このままだと、少し前のようにまた煮詰まって、煮凝りと化しそうな気がする。

「そういえば、この前、知奴がここに来たとき、頭が痛そうにしていたのも磁力のせいだったんですかね。あの男、くも膜下出血のクリッピングをしているから、頭蓋内に金属が入っているでしょうし」

鷹央が思考の底なし沼に沈みこまないよう、軽く話題を振ってみる。次の瞬間、鷹央の体が硬直し、猫を彷彿させる大きな瞳がかっと見開かれる。

鷹央は振り返ると、さっきまで自分が立っていた場所を見る。ただその視線は、壁に貼りついている砂鉄ではなく、床に落ちている大量の診療記録に注がれていた。

「あ、ああ、あああああぁぁ……」

半開きの鷹央の口から、獣じみた声が漏れだす。

「ど、どうしました？　大丈夫ですか？」

驚いた僕が声をかけると、鷹央は両手で頭を抱える。

「違う……。犯人に当てはまる人物がもう一人だけいた。ああ、私の目は節穴だ……。

私はなんて馬鹿なんだ。こんな簡単なことに気づかないなんて……」

ウェーブのかかった柔らかそうな髪を乱暴に掻き乱す鷹央に、僕は「落ち着いてください」と声をかけると、その華奢な背中に手を添えた。

鷹央は体を震わせると、手をだらりと下げて僕を見上げる。

「小鳥、私は探偵失格、いや医師失格だ……。先入観に目が曇り、目の前にある真実に気づかなかった」

そこで言葉を切った鷹央は、力なく首を横に振る。

「いや、私は気づいていたのかもしれない。この脳に搭載された知能はこの謎の裏に隠れた残酷な青写真を浮かび上がらせていたのに、私の心がそれに気付かないふりを決め込んでいたのかもしれない」

自らを責め続ける鷹央は弱々しく、短身瘦軀《そうく》がさらに小さくなったかのように僕の目には映った。

「私は一般の者たちが持つ様々な能力と引き換えに、超人的な知性を持って生まれてきた。私にとってそれは運命、もしくは『神』と呼称される存在からの『ギフト』であるはずだった。しかし、私はその『ギフト』から目を背けてしまった。自分自身を否定してしまった……」

鷹央はゆっくりと通路を出入り口に向かって進みはじめる。その足取りは、枷をつけられているかのように重かった。

「鷹央先生、どこに行くんですか?」

僕が慌てて声をかけると、鷹央は振り返る。その顔には、どこまでも哀しげで、それでいて自虐的な笑みが浮かんでいた。

思わず目を逸《そ》らしそうになる僕に向かって、鷹央は静かに告げた。

「この密室殺人事件の真相をあばきに行くんだ」

「真相? じゃあ、さっき説明してくれたのは……。磁力による密室トリックは間違っていたんですか?」

「いや、間違っていない。氷魚先生の殺害方法は、さっき言った通りだ。ただ一つだけ間違っていた点があった」

鷹央は出入り口の扉を引いて、外に出る。僕も鮎奈とともにそのあとを追った。

「間違っていた点って何ですか?」

「犯人だ」

犯人が違っていた? しかし、知奴以外に今回の犯行が可能な人物がいるだろうか?

僕が戸惑っていると、鷹央は関係者立入禁止ゾーンと一般ゾーンの境にある自動扉を開く。廊下の奥に、知奴の車椅子を押してエレベーターに乗り込もうとしている成瀬が見えた。

「成瀬さん、ちょっと待ってください！」

僕は声を張り上げる。振り返った成瀬は、いぶかしげな表情を浮かべると、「何ですか？　まだ付け加えることがあるんですか？」と苛立たしげに言いながら廊下を戻ってきた。

車椅子に座ってうなだれている知奴の顔を見た鷹央は、静かに頭を下げた。

「私が間違っていた。お前は犯人じゃない。お前は氷魚先生を殺してはいなかった」

知奴が緩慢に顔を上げ、成瀬が大きく目を剝《む》いた。

「どういうことですか、天久先生？　さっきあなたが、この方が犯人で間違いないって言ったんでしょ！」

成瀬に責められた鷹央は、「……すまない」と蚊の鳴くような声で謝罪する。

「この男は犯人じゃない。御子神知奴は先週、あのカルテ庫のさっき私が立っていた場所の近くまでやってきていたんだ」

「それがどうしたっていうんですか？」

成瀬は鼻の付け根にしわを寄せる。

「もし、この男が犯人で、強力な磁力が出ていることを知っていたら、あそこに近づくはずがないんだ。この男はかつてくも膜下出血を起こし、開頭手術を受けて動脈瘤《どうみゃくりゅう》の根元にクリップを挟む手術をしている。そのクリップが磁力で動いたり発熱すれば、命にかかわる。実際、この男は強い頭痛を訴えて去っていった」

「でも、最近は磁性体じゃない成分を使っているクリップも使用されていますよ。頭蓋内にあるのがそれだから、近づけたんじゃないですか?」

僕の指摘に、鷹央は首を横に振る。

「動脈瘤のクリップだけじゃない。この男はもう一つ、MRIに近づいてはならないものを持っていた。いや、正確にはそれに乗っていたんだ」

僕は「あっ」と声を漏らすと、知奴が座っている車椅子を見る。

「そうだ。車椅子は鉄など磁性体である金属製の部品を多く使用している。MRIの吸着事故では車椅子が吹き飛ばされて、乗っていた人物が重傷を負った例も報告されている」

「じゃあ、本当に知奴さんはあそこから強力な磁力が出ていることを知らなかったって言うことですか? 知奴さんは犯人じゃないんですか?」

「そうだ」

鷹央は重々しく頷く。そのとき、僕を押しのけるようにして鮎奈が噛みつくように鷹央に言った。

「じゃあ、誰が犯人だって言うんですか⁉ 誰が氷魚叔母さんを殺したんですか⁉

他に、あんな仕掛けを作れて、叔母さんを殺す動機がある人なんていません！」

「いいや、一人だけいる」

鷹央は緩慢な動きで、左手の人差し指を立てた。

「ＭＲＩ室の施工業者に工作を頼めるほど、病院内での権力を持っており、氷魚先生の命を奪う動機がある人物が」

「そんなわけない。氷魚叔母さんを殺したいほど恨んでいた人なんて、叔父さん以外にいるはずがありません」

怒鳴るかのように鮎奈が言うと、鷹央は「違うんだ」と首を横に振った。

「その人物は氷魚先生を恨んでいたわけではない。ただ事件を起こし、御子神知奴こそがその犯人であると私に告発させることが目的だったんだ。そうすれば、この男が院長に就任して、患者に害を与える高額の治療がこの病院で行われることもなくなるからな」

「そんなことのために、犯人は氷魚叔母さんを殺したって言うんですか⁉」

鮎奈の声に怒りが満ちる。

「犯人はそれだけ病院のことを大切に思い、そして追い詰められていたんだ。残された時間が少なかったからな」

「病院を大切に思って、残された時間が短かった……」

額にしわを寄せながら、ひとりごつようにつぶやいた鮎奈は、唐突に大きく息を吞む。

「まさか、その人って……」

絶句する鮎奈に、鷹央は静かに告げる。

「この病院の有力者で、その未来を憂い、御子神知奴に対して強い不信感を持ち、そして追い詰められていた人物。その条件に当てはまる人物、それは……」

僕の頭に一人の人物の姿が浮かんできた。あまりにも意外な人物の姿が。

唖然《あぜん》とする僕の前で、鷹央は静かに告げる。

この事件を仕組んだ犯人の名を。

「御子神氷魚だ」

誰もが言葉を失う中、鷹央は痛みに耐えるかのように目を固く閉じた。

「あのカルテ庫の罠は、密室殺人に見せかけて命を落とすために、氷魚先生自身が仕組んだものだ。……氷魚先生は自殺したんだ」

＊

居心地が悪い……。大きな会議室の末席に座りながら、僕は俯きつつ辺りを見回す。

細長い楕円《だえん》状のテーブルの周りには、白衣姿の男女が二十人ほど並んでいる。

『磁力の密室』の謎が解けた五日後、日曜の昼下がり、僕は御子神記念病院の会議室にいた。白衣姿の者たちは、全員がこの病院の診療部長や看護師長などの管理職、そして創業家一族である御子神家の者たちだ。御子神知奴、御子神鮎奈の姿も上座にある。

僕は首をすくめつつ、隣に座る鷹央に視線を送る。力なく俯き、口を固く結んでいるその姿からは、五日前の衝撃から立ち直っていないことが伝わってきた。

推理を間違え、誤った犯人を指摘してしまったこともショックだったのだろう。しかし、本当に鷹央を打ちのめしたのが、そのことではないことに僕は気づいていた。

鷹央にとって氷魚は尊敬する師匠だった。その人物が超人的な知能を使って最後にしたことが、殺人に見せかけて自分を殺すことだった。

社会をうまく生き抜いていくために必要な様々な能力と引き換えに得た、素晴らしい知性。それを他人を救うために使うことに、鷹央は誇りと生き甲斐を感じていた。そして、その生き方を教えてくれたのが、他ならない氷魚だった。天久鷹央という稀代の天才にとって御子神氷魚は、自らの進むべき道を指し示す、羅針盤のような存在だったのだろう。

その氷魚が最後の最後で、被害者が自分自身とはいえ、人を殺すために脳を使った。それは鷹央にとって、人生の羅針盤の針がぐるぐると回転しだしてしまったかのような、衝撃的な事実だったはずだ。

「なあ、小鳥……」

耳を澄まさなければ聞こえないほどの小声で、鷹央はつぶやく。

「なんで、氷魚先生はあんなことをしたのかな……」

「それしか、御子神知奴を止めて、この病院の患者さんを守る方法がなかったからじゃないでしょうか？　氷魚先生はきっと、患者さんを守ろうとしたんですよ。たとえ自分の命を捨ててでも……」

「ああ、そうかもな……」

鷹央の声にわずかに力がこもった。

「ただ、私は氷魚先生に信頼されていなかったのかもな」

鷹央が漏らした言葉に、僕は「なに言っているんですか⁉」と思わず声が大きくなってしまう。周りにいた数人から咎《とが》めるような視線を浴びた僕は、慌てて両手で口を押さえた。

「だって、氷魚先生はあの『磁力の密室』の真相に私がたどり着かないと思っていたんだろ。磁力という『凶器』には気づいても、犯人は知奴だと私が指摘すると思い、計画を立てていたんだ」

たしかにその通りだ。本当の真相まで鷹央にたどり着かれては、氷魚にとっては知奴を失脚させるという計画が破綻してしまう。そして、実際にそうなってしまった。

「氷魚先生は私なんかには自分のトリックが解けないと思っていたのかな？」

知性を師匠に疑われていたのかもしれない。その想いが、さらに鷹央の精神を蝕《むしば》んでいるのだろう。

弟子である鷹央を苦しませ、そして結局、知奴がこの病院の実権を握ることになる。氷魚の計画は完全に失敗し、事態は最悪の方向へと向かっていく。

僕は上座に視線を向ける。知奴が嘲笑するかのような表情を浮かべながら、僕たちを見ていた。

三日前、全ての真相を語った鷹央に対し、知奴は指を突きつけながら、「俺を人殺し扱いしたことを忘れるな！　絶対に訴えてやるからな！」と怒鳴りつけた。鷹央はそれに対し、抑揚ない口調で「好きにしてくれ」とつぶやくことしかできなかった。

昨日、鮎奈から聞いた情報では、すでに知奴が病院の顧問弁護士と連絡を取り、訴訟提起の準備をはじめているらしい。

鷹央の師匠ということで、僕は氷魚のことを買い被《かぶ》っていたのかもしれない。あれだけの時間と労力をかけた計画だったというのに、失敗したときのための次善策も用意していないなんて。

それとも氷魚は読み違えていたのか。もし、鷹央が全ての真相に気づいても、自分の遺志を汲《く》み取って、知奴をスケープゴートにしてくれると。真犯人ではないと分かっていても、知奴を告発してくれると。

そうだとしたら、氷魚は弟子のことを何も理解していなかったことになる。

鷹央の目的は、真実をあばくことだ。そこに一切の迷いも忖度《そんたく》もない。

全ての不純物を削《そ》ぎ落し、わき目をふることなく、ただただ純粋に謎に決闘を挑む。

それこそが天久鷹央という人物なのだ。

師匠のくせに、そんな鷹央先生の本質にさえ気づかなかったとは……。

氷魚に対する怒りが、ふつふつと胸の中に湧いてきたとき扉が開き、アイロンの利いた高級スーツを着て、金縁のメガネをかけた細身の中年男性が会議室に入ってきた。

「本日はお忙しいなか、皆様にお集まりいただき感謝しております。御子神氷魚さまの顧問弁護士を務めている斉藤《さいとう》と申します」

斉藤と名乗った弁護士は慇懃《いんぎん》に一礼すると、革製のバッグから数枚のファイルを取り出した。

「事前にご説明している通り、本日皆様にお集まりいただきましたのは、御子神氷魚さまの遺言書を公開するためです。遺言書の公開に当たっては、まずこちらにいらっしゃる全ての方々の参加が必須となっていました」

「前置きは良いから、さっさと遺言書の内容を教えてくれ」

車椅子に座った知奴が、大きく手を振る。その態度には余裕が溢れていた。

たとえ氷魚が医療法人の株を全て他の者に譲ったとしても、それと同じだけの株を知奴は持っている。院内政治に長けている自分なら確実に院長に就任し、好きなようにこの病院の方針を決められると考えているのだろう。

そして、残念なことにそれはおそらく正しかった。

ここに至っては、もはや知奴を止める手段はないだろう。御子神記念病院は患者のための施設ではなく、いかに金を病人から吸い取るかに特化した施設になってしまう。

僕が拳を握りしめていると、斉藤は「その前にお伝えすることがあります」と会議室内を見回した。

「依頼人である御子神氷魚さまから伝言を承っております。御子神知奴先生、御子神鮎奈先生、そして天久鷹央先生がご参加している場合はですね……」

斉藤がファイルをめくりはじめるのを見て、会議室がざわつきはじめた。

それはそうだろう。知奴や鮎奈はともかく、部外者であるはずの鷹央の参加の有無で個人のメッセージが変わるなど、意味が分からない。

斉藤は「ああ、これです」と一枚の用紙を取り出すと、賞状でも読むかのように顔の前に掲げる。

「では読み上げます。『私の遺言書を発表する前に、ここにいる皆さんにお伝えすることがある。兄の知奴はこの病院を地域の人々の為《ため》の施設から、金もうけのための医療法人、ひいては自らの懐を温めるための道具にしようとしている』」

告発を受けた知奴の顔がこわばる。

「『それは、院長としてこの病院の陣頭指揮を執ってきた私にとっては決して受け入れられないものだ。医師が培ってきた知識、技術は、病気により苦しむ人を癒し、救うためのものであり、私腹を肥やすために使うべきではない。少なくとも、長年、一帯の地域医療の要として運営されてきたこの御子神記念病院では』」

「おい、やめろ！」

知奴の怒声が会議室にこだました。

「なんのつもりだ⁉ お前、俺におかしな言いがかりをつけるつもりか？」

「私は依頼者から預かった文章を読んでいるだけです。これが、遺言書を発表するための条件です。もし邪魔をするのなら、遺言書の発表はできず、依頼者の財産は、医療法人の株を含め、全て慈善団体に寄付されます。それでもよろしいでしょうか？」

斉藤はメガネの金縁に指をかけて、位置を調整しながら、淡々とした口調で言う。

知奴は蒼白《あおじろ》い唇を噛んで黙り込んだ。

「ご理解いただけたようで何よりです。では続けます。『ところで、私が使っていた院長室の床に埋め込まれた金庫のナンバーは、右に五十五、左に二十一……』」

唐突に、金庫の暗証番号が読み上げられ、会議室にいる人々の顔に困惑が浮かぶ中、知奴だけはその番号を必死に、自らの左手の甲にマジックペンで書き込んでいた。

番号を読み上げ終えた斉藤は、知奴を見て、「『兄さん』」と声をかける。まるで、憎んでいた妹に直接声をかけられたかのように、知奴の顔が歪んだ。

「『私が死んで、あとは自分の天下だと思っているかもしれないけれど、そうはいかない。この病院であなたがやってきた様々な悪行の証拠は、もしものときのために全て金庫に保管してある』」

「な、そんなわけ……」

「『そんなわけない。証拠は全部しっかりと消した、と思っているな』」

まるで、知奴がなんと言うのか予言していたかのように、斉藤は氷魚からの遺言を読み上げていく。

「『しかし、全て完璧に隠すなんてできないんだよ。私はその隠し忘れた証拠を少しずつ集めて、金庫の中にためていった。中身を見たら驚くぞ。あれは兄さんの身を破滅させるパンドラの箱、そのものだから』」

斉藤がそこまで読み上げたとき、知奴は唐突に車椅子のストッパーを外すと、車輪を操作してその場で急回転し、出入り口に向かっていった。そのまま知奴が会議室から出ていくのを僕が呆然と見送っていると、斉藤は「出ていかれましたか」と興味なげに言って、ふたたびファイルをめくりはじめた。

「えっと……、ここで知奴先生が出ていった場合は……」

斉藤のつぶやきを聞いて、背筋が冷たくなる。氷魚は未来に何が起きるのかをシミュレートし、それに応じた無数の遺言を弁護士に託していたということか。

「ああ、ありました。これですね。えっと……『鷹央君』」

不意に名前を呼ばれた鷹央は、曲がっていた背骨をまっすぐに伸ばし、目を大きく見開く。

「『兄さんがこの会議に参加していたということは、君はカルテ庫の謎を全く解けなかった、もしくは完璧に解き明かしたということになるな』」

抑揚ない口調で読み上げられる師匠からのメッセージに、鷹央は椅子から腰を浮かしながら耳を傾ける。

「『まあ、君のことだから、全く解けなかったってことはまずないはず。ということは、スケープゴートではなく本当の真犯人まで気づいたってことだな。さすがだ、鷹央君。師として君のことを誇りに思うよ』」

虚ろだった鷹央の目に、わずかに意思の光が戻りはじめる。

氷魚は弟子である鷹央を見くびってなどいなかった。それどころか、彼女の能力を正確に評価し、それを誇りに思っていた。

だとしたら、なぜ氷魚は鷹央に今回の事件の謎を解かせたりしたのだろう。鷹央ならこれが氷魚の自殺であることを見抜いてしまうと分かっていたのに。

過負荷で脳細胞がショートしかけている頭を押さえていると、斉藤がさらに文章を読み上げていった。

「『これは私の最後のわがままだ。私の命が尽きる前に、君と全力で勝負をしたかった。人生で唯一出会った同類である君と。もちろん、兄を止めたいという気持ちも本当だが、それ以上に私は自分の脳に秘められた知能をフルに使っても勝つことができないようなライバルに挑みたかった』」

斉藤は相変わらず抑揚なく、氷魚からのメッセージを読み上げていく。しかし、それでもなお、文章からは溢れんばかりの氷魚の熱意が、鷹央に対する愛情と敬意、そしてわずかな嫉妬が伝わってきた。

「『さて、鷹央君、これが本当に最後の勝負だ。君は私を止められるかな？　最愛の弟子の健闘を、草葉の陰で祈っているよ。　氷魚より』。以上です」

会議室に耳がおかしくなったかのような沈黙が降りる。この場にいる誰もが、僕の隣に座っている鷹央に視線を注いでいた。

「氷魚先生……」

呆然と師の名を呼んだ鷹央に、僕は小声で話しかける。

「最後の勝負って何ですか？『私を止められるかな』ってどういう意味ですか？」

僕の問いに答えることなく、鷹央は小声でつぶやきはじめる。

「まだ、勝負は終わっていない……。磁力の密室は前座でしかなかった。なら、これからなにが起きる？　氷魚先生はなにを考えているんだ……」

鷹央は両手を額に当てた。

「なぜ、私へのメッセージの前に、御子神知奴に警告をした？　なぜ、金庫の……」

鷹央が大きく息を呑む。二重の大きな瞳が、さらに大きく見開かれた。

「小鳥！　御子神鮎奈！　行くぞ！」

椅子を蹴り飛ばすように立ち上がった鷹央は、小走りで会議室の出入り口に向かう。

「え、どういうことですか？」

なにが起きているか分からず混乱する僕に、鷹央は「いいからついて来い！」と怒鳴ると、会議室から出ていった。僕と鮎奈は一瞬、顔を見合わせたあと、立ち上がって鷹央のあとを追う。

部屋から出ると、鷹央が短い足をちょこまか動かして廊下を駆けていた。僕は床を蹴って走り、すぐに鷹央に追いつく。

「鷹央先生、いったいどこに向かっているんですか？　落ち着いて説明してください！」

「そんな暇はない！　氷魚先生が遺した勝負は、タイムトライアルだ。急がないと負ける。氷魚先生を本当の人殺しにしてしまう」

「人殺し⁉」

僕が甲高い声を出すと、鷹央は非常階段の扉を開け、階段をおりはじめる。

「一階だ！　一階に行くぞ！」

「一階って、もしかして……」

鮎奈とともに鷹央について階段をおりる僕がつぶやくと、鷹央は大きく頷いた。

「そうだ。院長室だ」


三階分の階段をおりて、僕たちは一階に到着する。日曜のため空《す》いている一階の外来待合を鷹央は息を切らせながら横切っていく。幹部用フロアの前までやってくると、鮎奈がカードリーダーに職員証を当てて自動扉を開く。横に短く伸びている廊下の、左側の突き当たり、院長室の扉の前に車椅子が横倒しになっている。しかし、それに乗っていたであろう御子神知奴の姿はなかった。

息を乱しながら、鷹央は院長室のドアのノブを摑む。鍵がかかっていて、扉はびくともしなかった。

「開けろ！　おい、中にいるんだろ！　さっさと開けろ！」

鷹央は拳をくり返し扉に打ちつける。重い音が響くが、中から反応はなかった。

「ここから中が見えます」

ひざまずいた鮎奈が、ドアについている郵便受けの小窓を開く。僕と鷹央もそれに倣って、中を覗き込んだ。

はいつくばった知奴が、床についている金庫にかぶりついていた。

「それを開くんじゃない！」

鷹央が声を張り上げるが、知奴は耳に入っていないのか、一心不乱にダイヤルを回し続ける。

「その中に、お前のスキャンダルの証拠なんてない！　それは罠だ！　なんでわざわざ床に金庫があるのか考えろ！　この下に何があるかを！」

この下に……。鷹央の怒声を聞きながら、僕はこの病院の間取りを考える。

横に長い院長室の中心部は、あのカルテ庫の上に位置していた。ということは、右側の階下には霊安室が、そして左側には……。

そこまで考えたとき、金庫の錠が開くカチリという音が鼓膜を揺らす。知奴が引きつった醜悪な笑みを浮かべながら、金庫のレバーを回し、ゆっくりとその扉を開いていく。

「やめろ！　その下にあるのはＭＲＩだぞ！　金庫の扉が磁気シールドになっている

んだ。それを開けたら……」

声を嗄《か》らして叫んでいた鷹央は、息を呑む。知奴が完全に金庫を開いたのを見て。

知奴は飢えた獣がエサにかぶりつくかのように、金庫を覗き込む。しかし、中は空だった。

「なにも……ない……」

呆然とつぶやいた知奴の体が大きく震える。

「うわ、ああ、わあああ……」

知奴は両手で額を押さえると、奇声を上げはじめた。その顔が苦痛で歪んでいく。

鷹央の予想が当たっていた。氷魚が空けていた磁気シールドの穴は、二ヶ所あったのだ。一つはカルテ庫に、もう一つはこの院長室に。そして、磁気シールドでできた金庫の扉を開けた者が、強力な磁力を浴びるような罠になっていた。

「閉めろ！　金庫を閉めるんだ！」

鷹央が張り上げた声に反応して、知奴が震える手を金庫の扉に伸ばす。しかし、完全に開いたそれは、まったく動かなかった。

「閉まらない……、動かないんだ……」

おそらく、一度開いたら閉まらない設計になっているのだろう。死してなお、これほどに殺意に満ちた罠を遺していた氷魚に寒気がしてくる。

「どうするんですか、鷹央先生⁉　このままだと、あの男が死んじゃいますよ！」

「分かっている！　少し黙っていろ！」

鷹央が僕を一喝すると、左手の人差し指を額に当てる。

「氷魚先生はこれを『勝負』だと書き残していた。つまり、これには勝ち筋があるはずだ。どうにか、鍵を開ける方法があるのか？　それとも磁力を止め……」

鷹央は「ああ！」と大きな声を上げる。

「ど、どうしたんですか？」

「小鳥、ついてこい。御子神鮎奈はここに残って、知奴を見ていろ」

「叔父を助けられるんですか？」

鮎奈が早口で訊ねると、鷹央はシニカルに口角を上げた。

「もちろんだ。最後の勝負、私が勝って、氷魚先生が人殺しになるのを止めてやる」

立ち上がって身を翻した鷹央のあとを僕は追う。

「どこに行くつもりなんですか？」

「いいから一緒に来い。私を信じろ」

「分かりました」

僕は迷うことなく頷く。一年間、鷹央とともに死線を越えてきた。僕が彼女を信じないで、誰が信じるというんだ。

幹部用のフロアから出た鷹央は、さっき使った非常階段で、さらに地下へとおりていく。

「もしかして、またカルテ庫に行くんですか？　けど、あそこは関係者以外立入禁止で、入るのには職員証が必要ですよ」

地下についた僕が言うと、鷹央はかぶりを振った。

「違う。カルテ庫なんか関係ない。私が用があるのは、この事件の『凶器』である、磁力の根源だ」

「磁力の根源って、まさか……」

僕が絶句すると、鷹央は「そのまさかだ」とへたくそなウインクをしつつ、地下の廊下を駆けはじめる。『関係者以外立入禁止』と記された扉の前を左に曲がった鷹央は、『MRI室』と表札のかかった扉を、蹴破るかのように勢いよく開けた。

「な、な、あなたたち、なんですか……？」

MRI操作室でカップラーメンを食べていた当直の放射線技師らしき中年男性が、目を白黒させる。

「吸着事故だ！」

鷹央はそう言うとポケットに入っていたスマートフォンをわきにあるかごへと放る。僕もそれに倣って、ポケットからスマートフォン、財布、キーケースなどを取り出し、かごに入れた。

「入るぞ」

宣言した鷹央は、磁気シールドと電磁波シールドが施された厚い扉を開けて、ＭＲＩの本体がある撮影室へと入っていく。

「ちょ、ちょっと待ってください。見たら分かるでしょ、吸着事故なんて起きていませんよ。いったい何が吸着しているって言うんですか」

カップ麺片手においかけて撮影室に入ってきた技師が、上ずった声で訊ねると、鷹央は天井を指さした。

「副院長だ。この病院の副院長が吸着されている」

「副院長？」

混乱した技師が頭を振る。

「いいから、黙って操作室に戻って、内線電話で御子神鮎奈の院内携帯に連絡を入れるんだ！　人の命がかかっているんだぞ」

覇気のこもった声で指示された技師は、「はい！」と背筋を伸ばすと、逃げるように操作室に戻っていった。

「どうするんですか？　鷹央先生、この前言っていたじゃないですか。ＭＲＩは撮影していないときも磁気を発し続けていて、基本的に止めることはできないって」

「ああ、たしかに言った。ただ、あくまで『基本的に』だ」

鷹央はつかつかとＭＲＩに近づくと、その側面についている『非常用』と大きく記された、禍々《まがまが》しいほどに赤いボタンに手を伸ばす。

「まさか……」

鷹央が何をしようとしているのか気づき、僕は顔から血の気が引いていくのを感じた。

「そうだ、クエンチだ！」

鷹央はボタンを覆っているプラスチックカバーを開く。

「ちょ、ちょっと待ってください。それはさすがに……」

クエンチとは、超電導磁石が何らかの理由で超電導状態を維持できなかった際、コイルを流れる電流が熱に変換され、周囲の液体ヘリウムが一気に蒸発する現象だった。気化したヘリウムは一気に七百倍にまで膨張し、爆発的に外部へと放出されることになる。

そのクエンチを意図的に起こし、ＭＲＩの磁場を消し去るのがクエンチボタンで、吸着による重大事故などが起きた非常時に、最終手段として使用される。

「それ以外に御子神知奴を救う方法は、氷魚先生を殺人者にしない方法はないんだ」

そこまで言ったところで、鷹央はふと視線を彷徨わせる。

「ああ、よく考えたら二人してリスクを冒す必要はないな。小鳥は操作室に避難して、扉を閉めておけ。そうすれば安全だ」

「ダメです！」

僕が即答すると、鷹央は「え？　ダメ？」と目をしばたたいた。

「鷹央先生だけに危険なことをさせて、自分が安全圏に逃げられるわけないでしょ！　やるなら二人でです！　氷魚先生が弟子を信頼したように、鷹央先生も弟子である僕を信頼してくれているでしょ？」

鷹央はきょとんとした表情を浮かべたあと、「生意気な弟子だな」とにっと微笑んだ。

『やめてください！』

鷹央がクエンチボタンに手をかけていることに気づいた技師が、操作室からマイクで悲鳴じみた声をかけてくる。

『クエンチなんてしたら、液体ヘリウムを入れなおすのに五百万円かかるんですよ！』

「それくらい、私たちのポケットマネーで払ってやるよ！」

啖呵《たんか》を切った鷹央は、「だよな」と僕に視線を送ってくる。

「えっ……、『私たち』ってことは、僕も含まれてます？　いま、新車を買って懐が寂しいというか」

「ああ、ぐだぐだ言うな。クエンチをしたらこの部屋は少しの間、蒸発したヘリウムガスで満たされる。その間は呼吸をするな。息を止めるんだ。いいな」

「はい！」

緊張しつつ、しかし気合を込めて僕が頷く。

「いくぞ！」

鷹央はクエンチボタンに拳を叩きつけた。次の瞬間、アラーム音が鳴り響くとともに、真っ白な煙が爆発したかのようにＭＲＩから噴き出す。

僕はとっさに鷹央を抱きしめると、その場に伏せる。視界が真っ白に染まり何も見えない。

ハイパワーの掃除機のような、強制排気の音が部屋に響き渡った。

僕は硬く目を閉じたまま、息を止め続ける。

次第に呼吸が苦しくなってきたころ「おい」という声が鼓膜を揺らした。

僕はゆっくりと瞼を上げる。真っ白だった視界が、いまは少し白く濁っているにとどまっていた。

「いつまで私のこと押し倒しているんだよ。苦しいから放せ」

体の下にいた鷹央に睨まれた僕は、「す、すみません」と身を起こした。

「ったく、油断するとこれだ。やっぱり舞が言っていたとおり、男はみんなオオカミというのは本当……」

「そういうんじゃありません」

僕が反論すると、鷹央は立ち上がってシャツについていた埃を払った。

「気化したヘリウムは無事に排気できたようだな。これで、MRIの磁場は消失したはずだ」

鷹央は大股に出入り口に向かうと、扉を開けて操作室へ入る。

「御子神鮎奈とは繋《つな》がっているか？」

受話器を片手に、口をあんぐりと開けたまま固まっている技師に、鷹央は声をかける。しかし、呆然自失となっている技師は、答えることなく窓越しにクエンチを終えたMRIを見つめるだけだった。

鷹央はつかつかと技師に近づくと、内線電話をスピーカーモードにする。

「こちら天久鷹央だ。御子神鮎奈、聞こえるか？」

『はい、聞こえます』

鮎奈のうわずった声が、電話から響く。鷹央は緊張した面持ちで口を開く。

「いま、MRIの磁場を破壊した。もう、金庫から磁力は漏れだしていないはずだ」

そこで言葉を切った鷹央は、唇をなめたあとおそるおそる訊ねた。

「御子神知奴は……無事か？」

操作室に入った僕は、心臓の鼓動が加速していくのをおぼえながら、鮎奈の答えを待つ。

背中に冷たい汗が伝う。

時計の秒針が時を刻む音が、やけに大きく聞こえた。

『無事です！』

歓喜に満ちた鮎奈の声が、操作室に響き渡る。

『苦しんで倒れていた叔父が、一分くらい前に立ち上がって、こちらまで這ってきました。いま中から錠を開けた叔父を、救急部のスタッフが救護しているところです！』

「そうか……。よかった」

大きく安堵の息を吐いた鷹央は、まるで、天から見ている師の姿を探すかのように天井を仰ぐと、小さくつぶやいた。

満足げに、そしてどこまでも哀しげに。

「私の勝ちだな、氷魚先生」

# エピローグ

「なあ、お供えしてあるお菓子って食べてもいいのか？」

「いいわけないでしょ！」

僕が突っ込むと、鷹央《たかお》は「つまんね」と後頭部で両手を組んだ。

「お腹《なか》を壊しますよ」

呆《あき》れつつ僕は周囲を見回す。芝生が敷き詰められた広場のところどころに十字架や大理石のプレートが置かれている。

『磁力の密室事件』を解決してから二週間後の週末、僕たちは鮎奈《あゆな》とともに、神奈川県の葉山《はやま》の丘にある、洋風の墓地を訪れていた。

眼前には海が広がり、ヨットが何艘《そう》か浮かんでいる。この眺めの良い墓地に、御子《みこ》神氷魚《がみひお》の遺骨は埋葬されていた。

「今日はお忙しいなか、わざわざありがとうございます」

ワンピース姿の鮎奈は一礼すると、胸に抱えていた花束を『Hio Mikogami』と刻まれた墓標に捧《ささ》げる。

「御子神知奴《ちぬ》はどうしている？」

興味なげに鷹央が訊《たず》ねると、鮎奈は苦笑を浮かべた。

「元気にしていますよ。あのあと、ちょっと入院したけど、特に大きな問題はありませんでした。次期院長の座を狙って色々と工作をはじめています」

「あの男が、次期院長で決まりなのか……」

鷹央は渋い表情を浮かべる。あの場では知奴を助ける以外の選択肢はなかったが、その結果、御子神記念病院の患者たちが将来的な不利益を被ることに複雑な思いを抱えているのだろう。

「いえ、そうとは限りません」

鮎奈のセリフに、鷹央は「え？」とまばたきをした。

「この前の、遺言書公開のときの叔父の醜態を部長や理事たちが見て、かなり風向きが変わってきました。叔父以外に院長候補を立てようとする動きが出ています」

「そうか。それは良かった」

鷹央が微笑《ほほえ》むと、鮎奈は遠くを見て目を細める。

「叔母はこの動きまで予測していたんじゃないかと思います。全て、叔母の計算通りなのかも。自分の計画が阻止されることも含めて」

「計画が阻止って、私がＭＲＩを止めて御子神知奴を助けたことか?」

「そうです」

鮎奈は髪を掻《か》き上げる。

「氷魚叔母さんが、天久《あめく》先生と本気で勝負したいというのは本心だったと思います。そのうえで、叔母さんは天久先生が勝って、自分が人殺しになることを止めてくれることまで分かっていたんじゃないでしょうか。そこまで天久先生を、愛弟子《まなでし》を信頼していたんですよ」

「そうか……。そうだといいな」

鷹央は微笑を浮かべながら、目の前の墓標を眺めた。そのとき、「お待たせしました」という声が聞こえてきた。そちらを見ると、スーツを着た金縁メガネの男、弁護士の斉藤が近づいてきていた。

今日、この墓地に僕たちが来たのは、斉藤に呼び出されたからだった。

氷魚の遺言書が発表される予定だったあの日、知奴と鮎奈が出ていったことにより、それは延期になっていた。そして先週、唐突に斉藤から連絡があった。「遺言書の内容を発表するから集まって欲しい」と。

そうして指定されたのがこの場所で、指名されたのは鷹央と鮎奈だけだった。

「それでは、御子神鮎奈先生、天久鷹央先生、お二人が揃《そろ》っているので、遺言書の内容を発表いたします」

「ちょっと待ってください。遺言書の発表は、うちの病院の幹部が全員そろっていないといけなかったんじゃないですか？」

鮎奈の質問に、斉藤は首を横に振った。

「それは、あの場で御子神知奴先生が会議室を出ていかなかった場合です。依頼人である御子神氷魚さまは、あの場で知奴先生がいなくなることを予見し、そうなった場合は、ここにあなたと天久先生を呼んで、遺言書を公開するように私に指示をしていました」

氷魚はやはり、この状況を読んでいたのか。

感心する僕の前で、斉藤はバッグから封筒を取り出すと、その封を切って中から一枚の用紙を取り出す。

「私、御子神氷魚が銀行口座に預けてある現金は全て、事前に弁護士に指定していた慈善団体に寄付する。また、医療法人の株は全て、姪《めい》である御子神鮎奈に譲るものとする」

斉藤は淡々と遺言書を読み上げると「以上です」と一礼する。

「私に、医療法人の株を……」

呆然《ぼうぜん》とする鮎奈に斉藤は「はい」と頷いた。

「あと、依頼人からの伝言も承っています。そちらもお伝えします。『あなたなら出来る。あなたを信頼している。だから、頑張りなさい』とのことです」

鮎奈は息を呑《の》むと、口元を押さえる。指の隙間から「氷魚叔母さん……」という嗚《お》咽《えつ》交じりの声が漏れてきた。

たしかに、かつて鮎奈が言っていたように、氷魚にとって鮎奈は自分とは違う『異質』の存在だったのだろう。しかし、その『異質』の存在を、氷魚は誰よりも愛し、そして信頼していた。

鷹央が『異質』である、僕を信頼してくれたように。

鮎奈はきっとその信頼にこたえるだろう。

氷魚から受け継いだ医療法人の株を武器に叔父と戦い、そして御子神記念病院を患者のための医療施設として発展させていくはずだ。

かつて、氷魚がそうしたように。

肩を震わす鮎奈を眺めていると、斉藤が「最後に、天久先生への伝言です」と言う。

「私にか？」

鷹央は不思議そうに自分の顔を指さした。

「はい、そうです。一言、『楽しかったな』とだけ」

数回まばたきをしたあと、鷹央は顔を綻ばせる。

「……ああ、楽しかった。本当に楽しかったよ」

鷹央は晴れ渡った空を見上げた。まるでそこにいる恩師に、そしてお互いの知能の限りを尽くして競い合ったライバルに語りかけるように。

「ありがとう、そして……さよなら、氷魚先生」

万感の想いがこもった別れの言葉が、抜けるような青空へ吸い込まれていった。

《初出》

プロローグ　書き下ろし
禁断の果実　「小説新潮」二〇二二年九月号
七色の猫　『島田荘司選 日華ミステリーアンソロジー』二〇二二年三月 講談社刊
遺された挑戦状　書き下ろし
エピローグ　書き下ろし

刊行に際し、加筆・修正を行いました。

実業之日本社文庫 ち1 107

羅針盤《らしんばん》の殺意《さつい》　天久鷹央《あめくたかお》の推理《すいり》カルテ

2024年2月15日　初版第1刷発行

著　者　知念実希人《ちねんみきと》

発行者　岩野裕一
発行所　株式会社実業之日本社
〒107-0062　東京都港区南青山6-6-22 emergence 2
電話 [編集]03(6809)0473 [販売]03(6809)0495
ホームページ　https://www.j-n.co.jp/
DTP　ラッシュ
印刷所　大日本印刷株式会社
製本所　大日本印刷株式会社

フォーマットデザイン　鈴木正道(Suzuki Design)


ISBN978-4-408-55865-3（第二文芸）